VIRGINIA WOOLF

ZWISCHEN DEN AKTEN

Aus dem Englischen von
Herberth E. und Marlys Herlitschka

S. FISCHER VERLAG

Die Originalausgabe erschien 1941
unter dem Titel »Between the Acts«
im Verlag The Hogarth Press, London

Druck und Einband: Clausen & Bosse, Leck
Printed in Germany 1986
ISBN 3-10-092518-1

VORBEMERKUNG

Das Manuskript dieses Buchs war, als Virginia Woolf starb, beendet, doch nicht letztmalig für den Satz durchgesehen. Sie hätte, glaube ich, keine großen oder wesentlichen Änderungen darin vorgenommen, aber wahrscheinlich recht viele kleine Berichtigungen und Verbesserungen gemacht, bevor der letzte Korrekturabzug zum Druck gegangen wäre.

Leonard Woolf

Ein vom Verfasser nicht druckfertig gemachter Text stellt den Übersetzer vor die Entscheidung zwischen unbedingter Treue und naheliegenden Berichtigungen und Änderungen. Wir haben uns, mit Ausnahme offensichtlich sinnstörender Verschreibungen oder unverkennbarer Druckfehler, an den Text gehalten, auch bei Unstimmigkeiten und Unwahrscheinlichkeiten wie etwa der »Tennispartie« (an früherer Stelle »Wohltätigkeitsbasar«) und dem »gelben« Specht.

H. & M. H.

Es war eine Sommernacht, und in dem großen Zimmer mit den offenen, auf den Garten gehenden Fenstern redeten sie alle von der Senkgrube. Der Grafschaftsrat hatte versprochen, Wasser in das Dorf zu leiten, hatte es aber nicht getan.

Mrs. Haines, die Frau des Herrenfarmers – sie hatte ein Gesicht wie eine Gans, Augen, die vorquollen, als sähen sie etwas Aufzuschnabelndes im Rinnstein, – sagte affektiert: »Von so was zu reden an einem solchen Abend!«

Nun schwiegen alle; und eine Kuh hustete; und das brachte Mrs. Haines darauf, zu sagen, wie sonderbar es sei, als Kind habe sie sich nie vor Kühen gefürchtet, nur vor Pferden. Als sie nämlich noch ganz klein gewesen sei, im Kinderwagen, habe ein großer Karrengaul um keine zwei Finger beinahe ihr Gesicht gestreift. Ihre Familie, sagte sie zu dem alten Mann in dem Lehnstuhl, sei seit Jahrhunderten in Cornwall ansässig, in der Nähe von Liskeard. Die Gräber auf dem Kirchhof dort seien der Beweis.

Ein Vogel stieß draußen ein paar glucksende Töne aus. »Eine Nachtigall?« fragte Mrs. Haines. Nein, Nachtigallen kämen nicht so weit nach Norden. Es war ein Tagvogel, der stillvergnügt über die Nahrhaftigkeit und Saftigkeit dieses Tags in sich hineinlachte, über Würmer, Schnecken, Grieß; sogar im Schlaf.

Der alte Mann in dem Lehnstuhl – Mr. Oliver von der indischen Zivilverwaltung, im Ruhestand, – sagte, die Stelle, die für die Senkgrube gewählt worden sei, liege, wenn er recht gehört habe, an der Römerstraße. Aus einem Flugzeug, sagte er, könne man noch immer ganz deutlich die Narben sehen, die die Briten hinterließen; die Römer; das elisabethanische Herrschaftshaus; und die Pflugschar, als man in den Napoleonischen Kriegen den Hügel gepflügt habe, um Weizen zu bauen.

»Aber Sie erinnern sich nicht...« begann Mrs. Haines. Nein, daran nicht. Immerhin, er erinnerte sich – und er wollte ihnen grade erzählen, woran, als draußen ein Geräusch entstand und Isa, die Frau seines Sohns, eintrat, das Haar in zwei kurzen Zöpfen; sie trug einen Schlafrock mit verblaßten Pfauen darauf. Sie kam herein wie ein Schwan, der seines Wegs zieht; wurde dann zum Innehalten gebracht und stand still; war überrascht, hier Leute vorzufinden; und brennende Lampen. Sie sei bei ihrem kleinen Buben gesessen, der nicht ganz wohl sei, entschuldigte sie sich. Worüber hätten sie gesprochen?

»Über die Senkgrube diskutiert«, sagte Mr. Oliver.

»Von so was zu reden an einem solchen Abend!« rief Mrs. Haines abermals aus.

Was hatte *er* darüber gesagt; oder überhaupt über irgend etwas? fragte sich Isa, den Kopf gegen den Herrenfarmer, Rupert Haines, hin geneigt. Sie hatte ihn auf einem Wohltätigkeitsbasar getroffen; und bei einer Tennispartie. Er hatte ihr eine Tasse und einen Tennisschläger gereicht – und das war alles. In seinem verwüsteten Gesicht spürte sie immer etwas Geheimnisvolles; und in seinem Schweigen Leidenschaft. Bei der Tennispartie hatte sie das empfunden und auf dem Basar. Ein drittes Mal, wenn möglich noch stärker, spürte sie es nun.

»Ich erinnere mich«, unterbrach der alte Mann ihre Gedanken, »meiner Mutter ...« Daß seine Mutter sehr dick war, erinnerte er sich; ihre Teebüchse mit einem Schlüssel verschlossen hielt; ihm jedoch in diesem selben Zimmer eine Ausgabe von Byrons Werken geschenkt hatte. Es sei mehr als sechzig Jahre her, sagte er ihnen, daß seine Mutter ihm Byrons Werke in diesem selben Zimmer geschenkt habe. Er hielt inne.

»Wie wolkenlose Sternennacht in Schönheit wandelt sie«, zitierte er.

Und dann:

»So schwärmen wir denn nicht mehr beim Schein des vollen Monds.«

Isa hob den Kopf. Die Worte formten zwei Ringe, vollkommene Ringe, die sie beide, sie selbst und Haines, wie zwei Schwäne flußabwärts trugen. Aber seine schneeweiße Brust war von einem Geschlämm schmutziger Entengrütze umstrickt; und auch sie war, mit ihren Schwimmhautfüßen, verfangen: in ihren Mann, den Börsenmakler. Auf dem dreibeinigen Hocker sitzend, mit ihren dunkeln kurzen Hängezöpfen, wiegte sie den Oberkörper, der in dem verblaßten Schlafrock einer Schlummerrolle glich.

Mrs. Haines spürte das Gefühl, das die beiden umschloß, das sie selbst ausschloß. Sie wartete, wie man wartet, daß die Orgel ausklinge, bevor man die Kirche verläßt. Im Auto, auf der Heimfahrt zu der roten Villa in den Kornfeldern, würde sie es zerstören, wie eine Drossel die Flügel eines Schmetterlings wegpickt. Sie ließ zehn Sekunden dazwischenfließen, dann stand sie auf; hielt inne; und dann, als hätte sie die letzte Tonfolge ausklingen gehört, streckte sie Isabella Oliver die Hand hin.

Isa aber, die sich im selben Augenblick, in dem Mrs. Haines aufstand, hätte erheben sollen, blieb sitzen. Mrs. Haines glotzte sie aus Gänseaugen an, die schnatterten: ›Bitte, Mrs. Giles Oliver, erweisen Sie mir die Freundlichkeit, mein Vorhandensein zur Kenntnis zu nehmen‹, was die endlich zu tun gezwungen war, indem sie von dem Hocker aufstand, in ihrem ausgeblichenen Schlafrock und mit den auf die Schultern fallenden kurzen Zöpfen.

Pointz Hall zeigte sich im Frühlicht eines Sommermorgens als ein Haus von mittlerer Größe. Es rangierte nicht unter den Häusern, die in Reiseführern erwähnt sind. Es war zu heimelig-schlicht. Aber dieses weißliche Haus mit dem grauen Dach und dem im rechten Winkel vorspringenden Flügel, das unglücklicherweise unten auf dem Wiesengrund stand, mit einer Franse von Bäumen darüber auf dem Hang, so daß sich der Rauch zu den Krähennestern hinaufringelte, war begehrenswert, um darin zu leben. Im Vorbeifahren sagten die Leute zueinander: »Möcht' wissen, ob das einmal zu verkaufen sein wird?« Und fragten den Chauffeur: »Wer wohnt da?«

Der Chauffeur wußte es nicht. Die Olivers, die den Besitz vor etwas mehr als hundert Jahren gekauft hatten, waren weder verwandt noch verschwägert mit den Warings, den Elveys, den Mannerings oder den Burnets: den alten Familien, die alle untereinander geheiratet hatten und im Tod wie Efeuwurzeln verschlungen am Fuß der Kirchhofsmauer ruhten.

Nur etwas mehr als hundertzwanzig Jahre waren die Olivers schon hier. Immerhin, wenn man die Haupttreppe hinaufging – es gab noch eine zweite, eine bloße Steige, hinten, für die Dienerschaft, – hing da ein Porträt. Eine Länge gelben Brokats wurde halben Wegs hinauf sichtbar; und während man das obere Ende erreichte, kam ein schmales, gepudertes Gesicht, eine hohe, mit Perlenschnüren durchschlungene Frisur in Sicht; gewissermaßen eine Ahne. Sechs oder sieben Schlafzimmer öffneten sich auf den Gang. Der Butler war Soldat gewesen; hatte eine Kammerzofe geheiratet; und unter einem Glassturz war eine Taschenuhr zu sehen, die auf dem Schlachtfeld von Waterloo eine Kugel abgehalten hatte.

Es war noch früh am Vormittag. Der Tau lag auf dem Gras. Die Kirchenuhr schlug achtmal. Mrs. Swithin zog den Vorhang in ihrem Schlafzimmer beiseite – den vergilbten weißen Chintz, der, von außen gesehen, das Fenster so gefällig mit dem grünen Futter tönte. Hier die greisen Hände auf dem Riegel, um das Fenster zu öffnen, stand sie: des alten Olivers Schwester; eine Witwe. Sie hatte immer beabsichtigt, sich wieder ein eigenes Heim zu schaffen; in London, vielleicht in Kensington, vielleicht in Kew, damit sie etwas von dem botanischen Garten dort hätte. Aber sie blieb den ganzen Sommer über hier; und sobald der Winter seine Feuchtigkeit auf die Scheiben weinte und die Dachrinnen mit abgestorbenen Blättern füllte, sagte sie: »Warum, Bart, hat man dieses Haus in die Mulde, mit der Front nach Norden, gebaut?« Ihr Bruder antwortete: »Offenbar um der Natur zu entfliehen. Waren nicht vier Pferde nötig, um die Familienkutsche durch den Schlamm zu schleppen?« Dann erzählte er ihr die berühmte Geschichte von dem strengen Winter im achtzehnten Jahrhundert; als das Haus einen ganzen Monat lang von Schnee verrammelt war und die Bäume stürzten. Also zog sich, wenn der Winter kam, Mrs. Swithin nach Hastings an die Südküste zurück.

Jetzt aber war es Sommer. Sie war von den Vögeln geweckt worden. Wie die sangen! Über die Morgendämmerung herfielen wie ebensoviele Chorknaben über einen Kuchen mit Zuckerguß! Zu lauschen gezwungen, hatte sie die Hand nach ihrer Lieblingslektüre – einem *Umriß der Weltgeschichte* – ausgestreckt und die Stunden zwischen drei und fünf damit verbracht, an Rhododendrenwälder in Piccadilly zu denken; als der ganze Kontinent, damals noch nicht, so begriff sie, durch einen Kanal geteilt, ein Ganzes war; bevölkert, so entnahm sie, von elefantenleibigen, robbennackigen, wogenden, sich aufreckenden, langsam sich windenden und, vermutete sie, bellenden Ungeheuern: dem Iguanodon, Mammut und Mastodon; von denen, dachte sie, das Fenster aufstoßend, wir vermutlich abstammen.

Sie brauchte fünf Sekunden gelebter Zeit, an Denkzeit viel, viel länger, um Grace mit dem blauen Porzellangeschirr auf einem Servierbrett von dem lederüberzogenen, grunzenden Ungeheuer zu sondern, das, als die Tür sich öffnete, grade daran war, in dem grünen, dampfenden Unterholz des Urwalds einen ganzen Baum umzureißen. Natürlich schrak sie auf, als Grace das Servierbrett abstellte und »Guten Morgen, Ma'am« sagte. ›Spinnt wieder einmal‹, dachte Grace, als sie auf ihrem Gesicht den zwiespältigen Blick spürte, der halb einem Untier in einem Sumpf galt, halb einem Dienstmädchen in bedrucktem Kattunkleid und weißer Schürze.

»Wie diese Vögel singen!« sagte Mrs. Swithin aufs Geratewohl. Das Fenster war jetzt offen; ganz gewiß sangen die Vögel. Eine zuvorkommende Drossel hüpfte über den Rasen; ein Geringel rötlicher Gummischnur wand sich in ihrem Schnabel. Durch den Anblick versucht, ihre imaginative Rekonstruktion der Vergangenheit fortzusetzen, hielt Mrs. Swithin inne; sie hatte den Hang, die Grenzen des Augenblicks durch Flüge in die Vergangenheit oder Zukunft zu erweitern; oder seitwärts, Korridore und Nebengäßchen entlang; doch sie erinnerte sich ihrer Mutter – ihrer Mutter, wie die sie in diesem selben Zimmer zurechtgewiesen hatte. »Steh nicht mit offenem Mund da, Lucy, oder der Wind wird umspringen...« Wie oft hatte ihre Mutter sie in diesem selben Zimmer zurechtgewiesen – ›aber in einer ganz andern Welt‹, so würde ihr Bruder sie erinnern. Also setzte sie sich zu ihrem Morgentee wie irgendeine andre alte Dame mit hochrückiger Nase, schmalen Wangen, einem Ring am Finger und den üblichen Verbrämungen recht armseligen, aber tapferen hohen Alters, zu denen bei ihr ein golden schimmerndes Kreuzchen auf der Brust gehörte.

Die Kinderfrau und das Kindermädchen trudelten nach dem Frühstück den Wagen auf der Rasenterrasse hin und her; und dabei tratschten sie – rollten nicht etwa Neuigkeiten zu Kügelchen oder reichten einander Ideen, sondern ließen Wörter wie Zuckerplätzchen auf der Zunge zergehn; die, während sie bis zur Durchsichtigkeit dünn wurden, Rosa, Grün und Süße hergaben. An diesem Morgen bestand die Süße in: »Wie die Köchin ihn ausgeschimpft hat wegen den

Spargeln; wie ›sie‹ geklingelt hat und ich gesagt hab', daß es ein goldiges Kostüm ist und die Bluse genau dazu paßt«; und das führte zu etwas über ein Mannsbild, während sie die Terrasse auf und ab schritten und Zuckerplätzchen auf der Zunge und den Kinderwagen vor sich her rollten.

Es war schade, daß der Mann, der Pointz Hall erbaut hatte, das Haus in eine Mulde steckte, wenn sich doch jenseits des Blumengartens und der Gemüsebeete dort diese Bodenerhebung erstreckte. Die Natur hatte einen Platz für ein Haus dargeboten; der Mensch hatte sein Haus in eine Mulde gebaut. Die Natur hatte eine Grasfläche dargeboten, ein paar hundert Meter lang und eben, bis sie sich plötzlich zu dem Wasserrosenteich senkte. Diese Terrasse war breit genug, um den ganzen Schatten eines der großen Bäume flachgelegt aufzunehmen. Hier konnte man hin- und hergehn, hin und her im Schatten der Bäume. Zwei oder drei wuchsen dicht beieinander; dann kamen Lücken. Ihre Wurzeln durchbrachen den Rasen, und zwischen diesen Knochen waren grüne Kaskaden und Kissen von Gras, aus denen im Frühling Veilchen wuchsen oder im Sommer die wilden rotvioletten Orchideen.

Amy sagte soeben etwas über ein Mannsbild, als Mabel, die Hand auf dem Kinderwagen, das Zuckerplätzchen herunterschluckend, sich umwendete. »Laß das Grubbern sein«, sagte sie scharf. »Komm weiter, George!«

Der kleine Junge war ein Stück zurückgeblieben und wühlte im Gras. Dann streckte das Baby, Caro, seine kleine Faust über das Wagendeckchen aus, und der pelzige Teddybär wurde über Bord geschleudert. Amy mußte sich bücken. George grubberte. Die Blume flammte zwischen Winkeln der Baumwurzeln. Eine dünne Hülle nach der andern wurde weggerissen. Sie flammte in einem sanften Gelb: ein züngelndes Licht unter einem Überzug von Samt; sie füllte die Höhlungen hinter den Augen mit Licht. All diese innere Dunkelheit wurde ein Saal, ein nach Blättern riechender, nach Erde riechender Saal von gelbem Licht. Und hinter der Blume war der Baum; Gras, Blume und Baum waren eins. Auf die Knie gesunken, wühlend, hielt er mit der Blume das Ganze. Dann ein Sausen, und ein heißer Atem und ein Strom von grobem grauen Haar fuhr zwischen ihn und die Blume. Auf sprang er, torkelnd in seinem Schrecken, und sah auf sich zu ein furchtbares spitzschnauziges, augenloses Ungeheuer sich auf Beinen bewegen und Arme schwenken.

»Guten Morgen, mein Herr!« grölte eine hohle Stimme aus einem Schnabel von Papier ihn an.

Der alte Mann war aus seinem Versteck hinter einem Baum auf ihn losgesprungen.

»Sag schön guten Morgen, George! Sag: ›Guten Morgen, Großpapa‹!« drängte Mabel und schob ihn zu dem alten Mann hin. George aber stand mit offenem Mund da. George stand und starrte. Dann knüllte Mr. Oliver die Zeitung, die er zu einer langen Nase gedreht hatte, und erschien in Person. Ein sehr hochgewachsener alter Mann mit funkelnden Augen, runzeligen Wangen und einem Kopf ohne Haare darauf. Er wandte sich um.

»Bei Fuß!« brüllte er. »Fuß, du Bestie!« Und auch George wandte sich um; und die Kindermädchen wandten sich um, das eine mitsamt dem Teddybär. Sie alle wandten sich um und sahen zu Sohrab hin, dem Afghanerhund, der mitten in den Blumen umhersprang.

»Bei Fuß!« brüllte der alte Mann, als kommandierte er ein Regiment. Es war eindrucksvoll für die Kindermädchen, wie so ein alter Kracher noch brüllen und eine solche Bestie zum Gehorsam bringen konnte. Und er kam zurück, der Afghanerhund, schwänzelnd und reumütig. Und als er dem alten Mann zu Füßen kroch, wurde ihm eine Schlinge über das Halsband gestreift; die Leine, die Mr. Oliver immer bei sich trug.

»Du wildes Tier... du schlimmes Tier«, brummte er gebückt. George sah nur auf den Hund. Die langhaarigen Flanken wurden eingesaugt und wieder aufgeblasen; ein Schaumpatzen klebte an den Nüstern. Er brach in Weinen aus.

Mr. Oliver richtete sich auf, die Adern angeschwollen, die Wangen gerötet; er war verärgert. Sein kleiner Scherz mit der Zeitung war mißlungen. Der Junge war ein Heulpeter. Er nickte und schlenderte weiter, strich die zerknitterte Zeitung glatt und brummte, während er die Zeile in der Kolonne zu finden suchte: »Ein Heulpeter – ein Heulpeter.« Aber der leichte Wind zerrte an dem großen Blatt; blies es auseinander; und über den Rand weg erblickte er die Landschaft – wogende Felder, Heide, Wald. Umrahmt, wurden sie zu einem Bild. Wäre er ein Maler gewesen, hätte er seine Staffelei hier aufgestellt, wo das Land, von Bäumen eingefaßt, wie ein Bild aussah. Dann legte sich die Brise.

›Monsieur Daladier‹, las er, die Stelle in der Kolonne wiederfindend, ›hat mit der Abwertung des Francs Erfolg gehabt...‹

Mrs. Giles Oliver fuhr mit dem Kamm durch das dichte Gewirr ihrer Haare, die sie sich nach reiflicher Überlegung nie auf Etonkopf noch auf Pagenkopf hatte schneiden lassen; und hob die Bürste aus schwerem getriebenem Silber, die ein Hochzeitsgeschenk und ganz nützlich war, um in Hotels auf das Stubenmädchen Eindruck zu machen. Sie hob sie, vor dem dreiteiligen Spiegel stehend, so daß sie drei gesonderte Fassungen ihres eher plumpen, aber einnehmenden Gesichts sehen konnte; und auch, außerhalb des Spiegels, einen Streifen Terrasse, Rasen und Baumwipfel.

Innerhalb des Spiegels, in ihren Augen, sah sie, was sie seit gestern abend für den verwüsteten, den schweigsamen, den romantischen Herrenfarmer empfunden hatte. ›Verliebt‹, war in ihren Augen zu lesen. Aber außerhalb, auf dem Waschtisch, auf dem Putztisch, zwischen den Silberdosen und den Zahnbürsten war die andre Liebe; die Liebe zu ihrem Mann, dem Börsenmakler – ›dem Vater meiner Kinder‹, fügte sie hinzu, in den Gemeinplatz gleitend, den so bequem von Romanen bereitgestellten. Innere Liebe in den Augen, äußere Liebe auf dem Putztisch. Aber was für eine Liebe war es, die sich nun in ihr regte, als sie oberhalb des Spiegels, im Freien, auf sich zu über den Rasen den Kinderwagen kommen sah, die Kinderfrau und das Kindermädchen und ihren kleinen Buben George, wie er hinterhertrödelte?

Mit ihrer silbernen, getriebenen Bürste klopfte sie ans Fenster. Aber die dort waren zu weit weg, um es zu hören. Das Rauschen der Bäume klang ihnen in die Ohren; das Gezwitscher der Vögel; andre Vorfälle des Gartenlebens, unhörbar, unsichtbar für sie selbst hier in dem Schlafzimmer, nahmen die Aufmerksamkeit derer dort in Anspruch. Abgesondert, eine grüne Insel, umhegt von Schneeglöckchen, bedeckt mit einem Überwurf von Seidenkrepp, schwamm die Insel der Unschuld dort unten vor ihrem Fenster. Nur George trödelte hinterher.

Sie sah wieder auf ihre Augen in dem Spiegel. ›Verliebt‹, das mußte sie wohl sein; da die Anwesenheit seines Körpers in dem Zimmer gestern abend es ihr so hatte antun können; da die Worte, die er gesprochen hatte, als er ihr eine Teetasse reichte, einen Tennisschläger reichte, sich so an eine gewisse Stelle in ihr hatten heften können; und nun so zwischen ihnen beiden liegen konnten wie ein Draht, summend, schwirrend, vibrierend – sie tastete in der Tiefe des Spiegels nach einem passenden Wort für das unendlich schnelle Vibrieren des Flugzeugpropellers, das sie einmal bei Tagesanbruch auf dem Flughafen Croydon gesehen hatte. Schneller und immer schneller schwirrte er, surrte er, sauste er, bis alle die Flügel zu einem einzigen wurden und das Flugzeug aufflog, auf und dahin, dahin...

»Wo wir nichts wissen, nichts vermissen, uns ein Duft nur ruft«, summte sie. »Schweifen, streifen durch die streichelnde, uns umschmeichelnde linde Sommer...«

Das Reimwort war ›Luft‹. Sie legte die Bürste hin; griff nach dem Telephon.

»Drei, vier, acht, Pyecombe«, sagte sie.

»Hier spricht Mrs. Oliver... Was für Fisch haben Sie heute? Dorsch? Heilbutt? Seezunge? Rotzunge?«

»Wo Lösung findet, was hier uns bindet«, murmelte sie. »Seezungen, filettiert, rechtzeitig fürs Lunch, bitte«, sagte sie ins Telephon. »Mit einer Feder, einer blauen... schweben, steigen in der lauen... wo Lösung findet, was hier uns bindet...« Die Worte waren es nicht wert, in das Heft eingetragen zu werden, das wie ein Ausgabenbüchlein gebunden war für den Fall, daß Giles vermuten könnte... ›Abortiv‹ war das Wort, durch das sie selbst ausgedrückt wurde. Sie verließ zum Beispiel einen Laden nie mit dem Kleid, das sie bewundert hatte; und ihre Gestalt, gesehen gegen den dunkeln Ballen Hosenstoff in einem Schaufenster, gefiel ihr nicht. Breithüftig, mit grobknochigen Gliedmaßen und, ihre Haartracht ausgenommen, modisch auf die eng anliegende moderne Art, sah sie nie wie Sappho aus oder einer dieser schönen jungen Männer, deren Photos die Wochenillustrierten zierten. Sie sah danach aus, was sie war: Sir Richards Tochter; und Nichte der beiden alten Damen in Wimbledon, die als O'Neils so stolz waren auf ihre Abstammung von den Königen Irlands.

Eine dämlich schmeichlerische Dame hatte auf der Schwelle des Raums, den sie »das Herz des Hauses« nannte, auf der Schwelle des Bibliothekszimmers, einmal gesagt: »Nach der Küche ist immer die Bibliothek der hübscheste Raum im Haus.« Dann hatte sie, eintretend, hinzugefügt: »Bücher sind der Spiegel der Seele.«

In diesem Fall einer makeligen, einer fleckig gewordenen Seele. Denn da der Zug mehr als drei Stunden brauchte, um dieses entlegene Dorf im innersten Herzen Englands zu erreichen, wagte sich niemand auf eine so lange Reise, ohne möglichen Geisteshunger zu bannen, ohne an einem Kiosk ein Buch zu kaufen. Darum gab der Spiegel, der die erhabene

Seele spiegelte, auch ein Bild der gelangweilten Seele wieder. Niemand konnte, wenn er auf den Stapel von Einschilling-Schockern blickte, die von den Wochenendgästen zurückgelassen worden waren, behaupten, der Spiegel spiegle immer die Kümmernisse einer Königin oder das Heldentum König Harrys.

Um diese frühe Stunde eines Junivormittags war das Bibliothekszimmer leer. Mrs. Giles hatte in die Küche sehen müssen. Mr. Oliver marschierte noch immer auf der Terrasse hin und her. Und Mrs. Swithin war selbstverständlich in der Kirche. Der leichte, aber wechselnde Wind, von der Wettervorhersage angekündigt, brachte die gelben Vorhänge zum Schwingen, die einmal Licht, einmal Schatten warfen. Das Kaminfeuer wurde grau und gloste nur noch, und der Distelfalter an der unteren Fensterscheibe schlug mit den Flügeln; schlug, schlug, schlug; wiederholte immerzu, daß, käme nie ein Mensch, nie, nie, nie, die Bücher schimmeln würden, das Feuer erlöschen und der Distelfalter an der Fensterscheibe tot sein werde.

Mit dem ungestümen Afghanerhund als Herold trat der alte Mann ein. Er hatte seine Zeitung gelesen; er war schläfrig; und so sank er in den chintzüberzogenen Lehnstuhl, den Hund zu seinen Füßen – den Afghanerhund. Der sah, die Schnauze auf den Pfoten, die Hanken hochgezogen, einem steinernen Hund gleich, einem Kreuzfahrerhund, der sogar im Reich des Todes den Schlaf seines Herrn bewacht. Aber sein Herr war nicht tot; träumte nur; sah nur dösig wie in einem Spiegel, einem glanzlos gewordenen, von Pünktchen gefleckten, sich selbst, einen jungen Mann mit Tropenhelm; und die Kaskade eines Sturzbachs; aber kein Wasser; und die

Berge wie grauen, gefältelten Stoff; und im Sand ein Rippengewölbe; einen jungen Stier, einen madenzerfressenen, in der Sonne; und im Schatten der Felsen Wilde; und in seiner Hand ein Gewehr. Die Traumhand schloß sich darum; die wirkliche lag auf der Armlehne, die Adern geschwellt, nun aber nur von einer bräunlichen Flüssigkeit.

Die Tür öffnete sich.

»Stör' ich?« entschuldigte sich Isa.

Selbstverständlich störte sie – zerstörte Jugend und Indien. Es war seine Schuld. Denn sie hatte beharrlich seinen Lebensfaden so dünn und weit gestreckt. Tatsächlich war er ihr, während er ihr zusah, wie sie im Zimmer umherging, dankbar dafür, daß sie das auch weiter tat.

Viele alte Männer hatten nur ihr Indien – alte Männer in Klubs, alte Männer in möblierten Zimmern um die Jermyn Street. Sie, in ihrem gestreiften Kleid, setzte ihn fort, wie sie da vor den Bücherregalen murmelte: »Die Heide liegt dunkel unter dem Mond, eilende Wolken tranken die letzten blassen Strahlen der abendli... Ich hab' den Fisch bestellt«, sagte sie laut und wandte sich her. »Zwar, ob er frisch sein wird oder nicht, kann ich nicht versprechen. Aber Kälbernes ist teuer, und alle haben wir Rind- oder Hammelfleisch satt... Sohrab«, sagte sie, vor den beiden stehenbleibend, »was hat denn *er* getan?«

Sein Schwanz wedelte nie. Er anerkannte nie die Bande der Gezähmtheit. Entweder er duckte sich und kroch, oder er biß. Jetzt starrten seine wilden gelben Augen sie an, starrten ihn an. Er konnte das länger als sie beide. Dann erinnerte sich Oliver.

»Dein Junge ist ein Heulpeter«, sagte er verachtungsvoll.

»Ach«, seufzte sie, auf einer Armlehne, wie ein Fesselballon, angepflockt, niedergehalten von einer Myriade haarfeiner Bande in Häuslichkeit. »Was ist denn geschehen?«

»Ich hab' eine Zeitung genommen«, erklärte er, »so…«

Er ergriff sie und knüllte sie zu einem Schnabel über seine Nase. ›So‹ sei er hinter einem Baum hervor auf die Kinder losgesprungen.

»Und er heulte. Er ist ein Feigling, dein Junge, das ist er.«

Sie zog die Stirn in Falten. Er war kein Feigling, ihr Bub. Nein, das war er nicht. Und dabei haßte sie alles Häusliche; das Besitzerische; das Mütterliche. Und er wußte das und sagte so was mit Absicht, um sie zu necken, das alte Scheusal, ihr Schwiegervater.

Sie sah weg.

»Die Bibliothek ist immer der hübscheste Raum im Haus«, zitierte sie und ließ ihre Augen über die Bücherreihen wandern. ›Der Spiegel der Seele‹, das waren Bücher. Die *Feenkönigin* und Kinglakes *Krimkrieg*; Keats und die *Kreutzersonate*. Da waren sie und spiegelten. Was? Welches Heilmittel gab es für sie, in ihrem Alter – dem Alter des Jahrhunderts, neununddreißig – in Büchern? Buchscheu war sie wie alle übrigen ihrer Generation; und schußscheu auch. Doch wie jemand, der mit rasenden Zahnschmerzen seine Augen in einer Apotheke über grüne Flaschen gleiten läßt, ob nicht vielleicht eine von ihnen die richtige Medizin enthalte, überlegte sie: Keats und Shelley; Yeats und Donne. Oder vielleicht nicht eine Dichtung; ein Leben. Das Leben Garibaldis. Das Leben Lord Palmerstons. Oder vielleicht nicht das Leben einer Person; vielleicht einer Grafschaft. *Die Altertümer von Durham;* die *Verhandlungen der Archäologischen Gesellschaft von Nottingham.* Oder überhaupt keine Lebensgeschichte; sondern Wissenschaftliches – Eddington, Darwin, Jeans.

Keins von diesen stillte ihr Zahnweh. Für ihre Generation war die Zeitung ein Buch; und da ihr Schwiegervater die *Times* hatte fallen lassen, nahm sie die und las: ›Ein Pferd mit einem grünen Schweif...‹, was phantastisch war. Danach: ›Die Garde in Whitehall...‹, was romantisch war; und dann, Wort auf Wort schichtend, las sie: ›Die Gardereiter sagten ihr, das Pferd habe einen grünen Schweif; aber sie entdeckte, daß es nur ein gewöhnliches Pferd war. Und sie zerrten sie hinauf in das Mannschaftszimmer, wo sie auf ein Bett geworfen wurde. Dann entfernte einer der Gardereiter einen Teil ihrer Kleidung, und sie schrie und schlug ihm ins Gesicht...‹

Das war wirklich; so wirklich, daß sie auf der Mahagonifüllung der Tür den Torbogen in Whitehall sah; durch den Bogen den Mannschaftsraum; in dem Mannschaftsraum das Bett, und auf dem Bett schrie das Mädchen und schlug ihm ins Gesicht, als sich die Tür (denn tatsächlich war es eine Tür) öffnete, und herein kam Mrs. Swithin, einen Hammer in der Hand.

Sie drückte sich der Wand entlang durchs Zimmer, als wäre der Fußboden unter ihren schäbigen Gartenschuhen flüssig. Und dabei spitzte sie die Lippen und lächelte von der Seite ihrem Bruder zu. Kein Wort wurde zwischen ihnen gewechselt, während sie zu dem Eckschrank ging und den Hammer wieder dorthin legte, woher sie ihn, ohne um Erlaubnis zu fragen, genommen hatte; mitsamt – sie öffnete die Faust – einer Handvoll Nägel.

»Cindy – Cindy«, knurrte er, während sie die Schranktür schloß.

Lucy, seine Schwester, war drei Jahre jünger als er. Der Name Cindy oder Sindy, denn er konnte so oder so geschrieben werden, war die Abkürzung von Lucy. Mit diesem Namen hatte er sie genannt, als sie Kinder waren; als sie hinter ihm dreintrottete, wenn er fischen ging, und die Wiesenblumen zu kleinen dichten Sträußchen band, indem sie einen langen Grashalm rundum und rundum und rundum schlang. Einmal, so erinnerte sie sich, hatte er sie gezwungen, den Fisch vom Haken zu nehmen. Sie war über das Blut entsetzt gewesen – »Oh!« hatte sie aufgeschrien – denn die Kiemen waren ganz blutig. Und er hatte geknurrt: »Cindy!« Jener Vormittag auf der Uferwiese geisterte in ihren Gedanken, während sie den Hammer wieder in das Fach legte, wohin er gehörte; und die Nägel, wohin sie gehörten, in ein andres; und den Schrank schloß, mit dem er, weil er noch immer sein Angelgerät darin verwahrte, noch immer so besonders heikel war.

»Ich hab' das Plakat an die Scheune genagelt«, sagte sie und tätschelte ihm die Schulter.

Die Worte waren wie das erste Anschlagen eines Glockengeläuts. Wenn das erste erklingt, hört man das zweite, wenn das zweite erklingt, das dritte. Und so wußte Isa, als sie Mrs. Swithin sagen hörte: »Ich hab' das Plakat an die Scheune genagelt«, daß sie als nächstes sagen werde:

»Für das Festspiel.«

Und er würde sagen:

»Heute? Beim Jupiter! Ich hab's vergessen.«

»Wenn's schön ist«, setzte Mrs. Swithin fort, »werden sie auf der Terrasse spielen...«

»Und wenn's regnet«, setzte Bartholomew fort, »in der Scheune.«

»Und wie wird's sein?« setzte Mrs. Swithin fort. »Regnerisch oder schön?«

Und dann, zum siebentenmal hintereinander, blickten sie beide durchs Fenster hinaus.

Jeden Sommer, seit nun sieben Sommern, hatte Isa dieselben Worte gehört; über den Hammer und die Nägel; das Festspiel und das Wetter. Jedes Jahr redeten sie davon, ob es regnerisch oder schön sein werde; und jedes Jahr war es – das eine oder das andre. Dieselben Töne folgten denselben Tönen. Nur hörte sie dieses Jahr durch das Geläut hindurch: ›Das Mädchen schrie und schlug ihm mit einem Hammer ins Gesicht.‹

»Die Vorhersage«, Mr. Oliver wandte die Seiten um, bis er sie fand, »lautet: Wechselnde Winde; angemessene Durchschnittstemperatur; zeitweise Regen.«

Er ließ die Zeitung sinken, und sie alle blickten zum Himmel, um zu sehen, ob der Himmel den Meteorologen gehorche. Gewiß war das Wetter veränderlich. Im Garten war alles grün; im nächsten Augenblick grau. Da kam die Sonne hervor – ein grenzenloses freudiges Entzücken, das jede Blume, jedes Blatt umfing. Dann zog sie sich mitfühlend zurück, verhüllte ihr Gesicht, als ließe sie davon ab, auf menschliches Leid zu blicken. Es lag etwas Unbeständiges, ein Mangel an Ordnung und Symmetrie in den Wolken, wie sie so einmal dünner, einmal dicker wurden. War es ihr eignes Gesetz oder kein Gesetz, dem sie gehorchten? Einige waren bloß Wische von weißem Haar. Eine, hoch oben, sehr fern, hatte sich zu goldfarbenem Alabaster verhärtet; war aus unsterblichem Marmor. Über die hinaus war Blau, reines Blau, Schwarzblau; ein Blau, das nie herabgesickert war; das der

Registrierung entgangen war. Es fiel nie als Sonne, Schatten oder Regen auf die Welt, sondern ließ den kleinen bunten Ball von Erde völlig unbeachtet. Keine Blume fühlte es; kein Feld; kein Garten.

Mrs. Swithins Augen wurden glasig, als sie zu ihm aufsah. Isa glaubte, sie blicke so starr, weil sie Gott dort sehe, Gott auf seinem Thron. Aber da gleich darauf ein Schatten über den Garten fiel, löste und senkte Mrs. Swithin ihren Blick und sagte:

»Es ist sehr unbeständig. Es wird regnen, fürcht' ich. Wir können nur beten«, fügte sie hinzu und befingerte ihr Kruzifix.

»Und Regenschirme bereithalten«, sagte ihr Bruder.

Lucy errötete. Er hatte einen Schlag gegen ihren Glauben geführt. Wenn sie ›beten‹ sagte, fügte er ›Regenschirme‹ hinzu. Sie bedeckte das Kreuzchen halb mit den Fingern. Sie wich zurück; sie duckte sich; aber im nächsten Augenblick rief sie aus:

»Oh, da sind sie – die lieben Herzchen!«

Der Kinderwagen kam über den Rasen vorbei.

Auch Isa sah hin. Welch ein Engel sie war – die alte Frau! So die Kinder zu grüßen; gegen jene Unendlichkeiten und die Ehrfurchtslosigkeiten des alten Mannes ihre welken Hände, ihre lachenden Augen aufzubieten! Wie mutig, Bartholomew und dem Wetter zu trotzen!

»Er sieht blühend aus«, sagte Mrs. Swithin.

»Es ist erstaunlich, wie schnell sie sich erholen«, sagte Isa.

»Hat er sein Frühstück gegessen?« fragte Mrs. Swithin.

»Jedes Krümel.«

»Und die Kleine? Kein Anzeichen von Masern?«

Isa schüttelte den Kopf. »Unberufen!« Und sie klopfte auf den Tisch.

»Sag mir, Bart«, wandte sich Mrs. Swithin an ihren Bruder, »was ist der Ursprung davon, Holz zu berühren... Antäus, hat er nicht die Erde berührt?«

Sie wäre, dachte er, eine sehr gescheite Frau, wenn sie ihren Blick fest auf ein Ding gerichtet hielte. Aber eins führte zum andern. Und das wieder zu etwas anderm. Was zum einen Ohr hineinging, ging zum andern hinaus. Und alles war, wie das so nach Siebzig geschieht, von einer immer wiederkehrenden Frage umkreist. Die ihre war: solle sie in Kensington wohnen oder in Kew? Aber jedes Jahr, wenn der Winter kam, tat sie weder das eine noch das andre. Sie nahm eine möblierte Wohnung in Hastings.

»Holz berühren; Erde berühren; Antäus«, murmelte er und fügte die hingestreuten Brocken zusammen. Lemprières *Dictionary of Antiquity* würde das entscheiden; oder die *Encyclopædia Britannica.* Aber sie fand sich nicht in Büchern, die Antwort auf seine Frage – warum in Lucys Schädel, der dem seinen so ähnlich geformt war, ein anbetbares Wesen existierte. Sie stattete es, so nahm er an, wohl nicht mit Haaren, Zähnen und Zehennägeln aus. Es glich, nahm er an, mehr einer Kraft oder einer Ausstrahlung, die die Drossel lenkte und den Wurm; die Tulpe und den Hetzhund; und auch ihn selbst, einen alten Mann mit geschwollenen Adern. Es trieb sie aus dem Bett, an einem kalten Morgen, und sandte sie den schlammigen Weg entlang, es zu verehren, dessen Sprachrohr Streatfield war. Kein übler Mann, und rauchte Zigarren in der Sakristei. Er brauchte irgendeine Stärkung, wenn er asthmatischen Dorfältesten frommen Zuspruch austeilte, den immerzu dem Einstürzen nahen Kirchturm immerzu ausbesserte, mittels an Scheunen genagelter Plakate. Die Liebe, dachte er, die sie Fleisch und Blut schenken sollten, schenkten sie der Kirche...

Da sagte Lucy, mit den Knöcheln auf den Tisch klopfend: »Was ist der Ursprung – der Ursprung – von dem?«

»Aberglaube«, sagte er.

Sie wurde rot, und es war auch hörbar, wie sie schnell den Atem einzog, als er abermals einen Schlag gegen ihren Glauben führte. Aber zwischen ihnen, Bruder und Schwester, war Fleisch und Blut keine Schranke, sondern nur eine Nebelwand. Nichts änderte etwas an ihrer gegenseitigen Zuneigung; keine Meinungsverschiedenheit, keine Tatsache, keine Wahrheit. Was sie sah, das sah er nicht; was er sah, sah sie nicht – und so weiter *ad infinitum.*

»Cindy!« knurrte er. Und der Streit war vorbei.

Die Scheune, an die Lucy das Plakat genagelt hatte, war ein großes Gebäude auf dem Wirtschaftshof. Sie war so alt wie die Kirche und aus dem gleichen Stein gebaut, aber sie hatte keinen Glockenturm. Sie stand erhöht, auf Kegeln von grauem Stein an den Ecken, um vor Ratten und Feuchtigkeit geschützt zu sein. Wer in Griechenland gewesen war, sagte immer, sie erinnere ihn an einen Tempel. Wer nie in Griechenland gewesen war – die Mehrzahl – bewunderte sie dennoch. Ihr Dach war von einem verwitterten Gelblichrot; und innen war sie eine hohle Halle, von Sonnenstrahlen durchschäftet, braun, nach Korn riechend, dunkel, wenn die großen Torflügel geschlossen waren, aber prächtig erhellt, wenn sie offenstanden, zum Beispiel, um die Erntewagen – die langen, niedrigen Leiterwagen, die gleich Seeschiffen sich dem Korn, nicht der See entgegenstemmten, – einzulassen, sobald sie abends zurückkamen, zottelig von Heu. Die Hecken fingen Büschel davon, wo sie vorbeikamen.

Nun waren Bänke quer über den Boden der Scheune gestellt. Falls es regnete, sollte hier Theater gespielt werden; Bretter waren an dem einen Ende zusammengefügt worden, um eine Bühne zu bilden. Ob schön, ob Regen, die Zuschauer würden hier Tee trinken. Junge Männer und Mädchen – Jim, Iris, David, Jessica – waren eben jetzt mit Girlanden von roten und weißen Papierrosen beschäftigt, die noch von der Krönungsfeier vorhanden waren. Die Samen aus dem Heu und der Staub von den Säcken brachten alle zum Niesen. Iris hatte sich ein Taschentuch um die Stirn gebunden; Jessica trug Reithosen. Die jungen Männer arbeiteten in Hemdärmeln. Blasse Spelzen waren ihnen im Haar steckengeblieben, und man konnte sich leicht einen Holzspan in den Finger einziehen.

›Das alte Krisperl‹ (Mrs. Swithins Spitzname) hatte ein zweites Plakat an die Scheune genagelt. Das erste war vom Wind weggeweht worden, oder der Dorftrottel, der immer alles abriß, was angenagelt war, hatte es getan und saß jetzt wohl, in sich hineinlachend, darüber gebeugt im Schatten einer Hecke. Auch die hier Beschäftigten lachten, als hätte die alte Swithin ein Kielwasser von Gelächter hinter sich gelassen. Ihr Erscheinen mit der lose flatternden weißen Haarsträhne, den ausgebeulten Schuhen gleich den hornig beschuppten Klauen eines Kanaris und den schwarzen, um die Knöchel faltigen Strümpfen hatte natürlich bewirkt, daß

David einen schrägen Blick Jessica zuwarf und die zurückblinzelte, während sie ihm eine Kette Papierrosen reichte. Snobs waren sie; lange genug, heißt das, in diesem einen Erdenwinkel ansässig, um unauslöschlich die Prägung einiger dreihundert Jahre gewohnheitsmäßigen Gehabens angenommen zu haben. Also lachten sie; aber respektierten. Wenn sie Perlen trug, waren es echte Perlen.

»Das alte Krisperl auf dem Sprung«, sagte David. Sie käme und ginge noch zwanzigmal und brächte ihnen schließlich Limonade in einem großen Krug und einen Teller mit Sandwiches. Jessie hielt die Girlande; er hämmerte. Eine Henne verirrte sich herein; Kühe kamen hintereinander am Tor vorüber; dann ein Schäferhund; dann der Melker, Bond, der stehnblieb.

Er sah den jungen Leuten zu, wie sie Rosen von einem Dachsparren zum andern hängten. Er hielt sehr wenig von irgend jemand, den Dörflern wie den Herrschaften. Als er so, schweigend, spöttisch, am Torpfosten lehnte, glich er einer verwitterten Weide, über einen Bach geneigt, alle ihre Blätter abgefallen, und in seinen Augen war das launische Fließen des Wassers.

»Hehoa!« rief er plötzlich. Es war vermutlich Kuhsprache, denn die scheckige Kuh, die den Kopf hereingestreckt hatte, senkte die Hörner, schlug mit dem Schwanz und wackelte davon. Bond folgte hinterdrein.

»Das ist das Problem«, sagte Mrs. Swithin. Während Mr. Oliver die *Encyclopædia* zu Rat zog und unter ›Aberglaube‹ nach dem Ursprung des Brauchs, ›auf Holz zu klopfen‹, suchte, erörterten sie und Isa Fisch: ob er, wenn er aus größerer Entfernung käme, frisch wäre.

Man sei hier so weit vom Meer. Hundert Meilen weit weg, sagte Mrs. Swithin. Nein, vielleicht sogar hundertfünfzig. »Aber die Leute behaupten«, fügte sie hinzu, »man kann in einer stillen Nacht die Wellen hören. Nach einem Sturm, heißt's, kann man's hören, wenn eine Welle sich bricht... Mir gefällt diese Geschichte«, sagte sie nachdenklich. »Als er mitten in der Nacht die Wellen hörte, sattelte er ein Pferd und ritt zum Meer. Wer war's, Bart, der zum Meer ritt?«

Er war ins Lesen vertieft.

»Man kann nicht erwarten, daß einem Fische in einem Eimer Wasser zur Haustür gebracht werden«, sagte Mrs. Swithin, »wie, ich erinnere mich, als wir Kinder waren und in einem Haus am Meer wohnten. Hummern, frisch aus den Reusen. Wie sie das Stäbchen zwickten, das die Köchin ihnen hinhielt! Und Lachse. Man kennt's, wenn sie frisch sind, weil sie da noch Läuse zwischen den Schuppen haben.«

Bartholomew nickte. Eine Tatsache war das. Er erinnerte sich: das Haus am Meer; und die Hummern; ganze Netze voller Fische wurden vom Meer heraufgebracht; Isa aber sah – den Garten, veränderlich, wie die Prognose sagte, in dem leichten Wind. Wieder kamen die Kinder vorbei, und sie klopfte an die Fensterscheibe und warf ihnen eine Kußhand zu. In dem Rauschen des Gartens blieb das unbemerkt.

»Sind wir wirklich«, fragte sie, sich herwendend, »hundert Meilen vom Meer?«

»Nur fünfunddreißig«, antwortete ihr Schwiegervater, als hätte er geschwind ein Meßband aus der Tasche gezogen und die Entfernung genau gemessen.

»Es scheint einem weiter zu sein«, sagte Isa. »Von der Terrasse sieht es aus, als ginge das Land ewig so fort.«

»Einst war kein Meer da«, sagte Mrs. Swithin, »gar kein Meer zwischen uns und dem Kontinent. Ich hab' das heute früh in einem Buch gelesen. Da gab's Rhododendren am Themseufer und Mammute in Piccadilly.«

»Als wir Wilde waren«, sagte Isa.

Dann erinnerte sie sich; ihr Zahnarzt hatte ihr gesagt, Wilde könnten sehr geschickte Operationen am Gehirn ausführen. Wilde hätten falsche Zähne, hatte er gesagt. Falsche Zähne waren, so hatte er, glaubte sie, gesagt, zur Zeit der Pharaonen erfunden worden.

»Wenigstens hat mein Zahnarzt mir das erzählt«, schloß sie.

»Zu wem gehst du jetzt?« fragte Mrs. Swithin.

»Zu demselben alten Paar: Batty und Bates in der Sloane Street.«

»Und Mr. Batty hat dir gesagt, daß es schon zur Zeit der Pharaonen falsche Zähne gab?« fragte Mrs. Swithin grüblerisch.

»Batty? Oh, nicht Batty. Bates«, verbesserte Isa sie.

Batty, erinnerte sie sich, hatte immer nur von der königlichen Familie gesprochen. Batty, erzählte sie Mrs. Swithin, habe eine Prinzessin zur Patientin gehabt. »Also hat er mich einmal mehr als eine Stunde warten lassen. Und du weißt, wenn man ein Kind ist, wie lange einem das vorkommt.«

»Ehen zwischen Cousins und Cousinen«, sagte Mrs. Swithin versonnen, »können nicht gut für die Zähne sein.«

Bart fuhr sich mit dem Finger in den Mund und zog die obere Reihe Zähne vor die Lippen. Seine waren falsch. »Und doch«, sagte er, »haben die Olivers nie ihre Cousinen geheiratet.« Die Olivers konnten ihre Abkunft nicht weiter als zwei- oder dreihundert Jahre zurückverfolgen. Die Swithins aber konnten das. Die Swithins waren schon vor den Normannen hiergewesen.

»Die Swithins«, begann Mrs. Swithin. Dann verstummte sie. Bart würde nur wieder einen Witz reißen, über Heilige, wenn sie ihm Gelegenheit dazu böte. Und sie hatte sich schon zwei Witze auf ihre Kosten gefallen lassen müssen; den einen mit dem Regenschirm und den andern über Aberglauben.

Darum unterbrach sie sich und sagte: »Wie sind wir nur auf dieses Gespräch gekommen?« Sie zählte an den Fingern. »Die Pharaonen. Zahnärzte. Fisch... Ach ja, du hast gesagt, Isa, du hast Fisch bestellt; und du hast befürchtet, er wird nicht frisch sein. Und ich hab' gesagt: ›Das ist das Problem...‹«

Die Fische waren geliefert worden. Mitchells Junge, der sie in der Armbeuge hielt, sprang von seinem Motorrad. Es gab kein Füttern des Ponys mit Zuckerwürfeln an der Küchentür mehr. Auch keine Zeit für Tratsch, seit seine Runde sich vergrößert hatte. Er mußte bis über die Anhöhe hinüber nach Bickley liefern; seinen Weg auch über Waythorn, Roddam und Pyeminster nehmen, deren Namen wie auch sein eigner schon im Urbar der Angelsachsen standen. Doch die Köchin – Mrs. Sands geheißen, aber von alten Freundinnen Trixie genannt – war in all ihren fünfzig Jahren nicht über die Anhöhe hinaus gewesen und wollte das auch gar nicht.

Er schlappte sie auf den Küchentisch, die filettierten Seezungen, die halb durchsichtigen, entgräteten Fische. Und bevor Mrs. Sands Zeit gehabt hatte, sie von dem Papier abzulösen, war er schon weg, nach einem freundlichen Klaps für den sehr schönen gelbbraunen Kater, der sich majestätisch von dem Korbsessel erhob und hochmütig, die Fische witternd, dem Tisch zuschritt.

Rüchelten sie nicht ein wenig? Mrs. Sands hielt sie an die Nase. Der Kater rieb sich, einmal hin, einmal her, an den Tischfüßen, an ihren Beinen. Sie würde eine Schnitte für Sunny beiseite tun – aus seinem Salonnamen, Sun-Yen, war in der Küche Sunny geworden. Sie trug die Fische unter Assistenz des Katers in die Speisekammer und legte sie auf einen Teller in diesem halb kirchlichen Raum. Denn das Haus hatte vor der Reformation, wie so viele Häuser in dieser Gegend, eine Kapelle gehabt; und als die Religion sich änderte, war aus der Kapelle eine Speisekammer geworden, wie der Name des Katers sich änderte. Der Herr (im Salon so genannt; in der Küche nannten sie ihn Bartie) führte gelegentlich Leute, die zu Gast waren, herein, um ihnen die Speisekammer zu zeigen; manchmal, wenn die Köchin nicht für den Empfang von Besuch gekleidet war. Nicht, damit sie die Schinken besichtigten, die von den Haken hingen, oder die Butter auf einer blauen Schieferplatte oder das Bratenstück für das morgige Sonntagsmahl, sondern zur Besichtigung des Kellers, der durch die Speisekammer zugänglich war, und dessen gemeißelten Türbogens. Wenn man an die Wand klopfte – einer der Herren hatte einmal einen Hammer mitgebracht – gab es einen hohlen Klang; einen Nachhall; zweifellos, hatte er gesagt, ein geheimer Gang, wo sich einmal jemand verborgen hielt. Das mochte so sein. Aber Mrs. Sands wünschte, sie würden nicht in die Küche kommen und Geschichten erzählen, wenn die Dienstmädchen in der Nähe waren. Das setzte ihnen Ideen in ihre dummen Köpfe. Sie hörten dann tote Männer Fässer rollen; sie sahen eine weiße Dame unter den Bäumen wandeln. Keine wollte nach Einbruch der Dunkelheit über die Terrasse gehn. Wenn eine Katze nieste: »Das war der Geist!«

Sunny bekam sein Stückchen filettierten Fisch. Dann nahm Mrs. Sands ein Ei aus dem braunen Körbchen voller Eier; manche hatten noch ein wenig gelben Flaum an der Schale kleben; dann eine Prise Mehl, um diese halb durchsichtigen Streifchen damit zu bestäuben; und eine Brotkruste aus der großen irdenen Schüssel voller Brotkrusten. Als sie dann in die Küche zurückgegangen war, vollführte sie diese schnellen Handgriffe am Herd – Asche rütteln, Feuer schüren, den Zug dämpfen – die seltsame Echos durch das Haus sandten, so daß in der Bibliothek, im Wohnzimmer, im Eßzimmer und im Kinderzimmer alle, was immer sie dort taten, dachten oder sagten, nun wußten, es werde bald das Frühstück fertig sein oder das Mittag- oder das Abendessen.

»Die Sandwiches...« sagte Mrs. Swithin, die in die Küche gekommen war. Sie unterließ es, ›Sands‹ hinzuzufügen, denn Sands schlug sich mit Sandwiches. »Spiele nie«, hatte ihre Mutter immer gesagt, »mit den Namen von Leuten!« Und ›Trixie‹ nun wieder war nicht, wie ›Sands‹, ein Name, der zu der mageren, säuerlichen Frau paßte, der rothaarigen, flinken und sauberen, die freilich nie Meisterwerke herzauberte, aber auch keine Haarnadeln in die Suppe fallen ließ. »Was, in des Donnerers Namen«, hatte Bart gesagt, als er eine Haarnadel mit seinem Löffel heraushob damals, in den alten Zeiten vor fünfzehn Jahren, bevor Sands gekommen war, in den Zeiten von Jessie Pook.

Mrs. Sands holte Brot; Mrs. Swithin holte Schinken. Die eine schnitt das Brot; die andre den Schinken. Es wirkte beruhigend, es wirkte stetigend, so, zu zweit, mit den Händen zu arbeiten. Die Hände der Köchin schnitten, schnitten, schnitten. Wogegen Lucy, den Brotlaib umgreifend, das Messer in der Luft hielt. Warum läßt sich altbackenes Brot, sann sie, leichter schneiden als frisches? Und hüpfte so, seitab, von Hefe zu Alkohol; und so zu Gärung; und so zu Berauschtsein; und so zu Bacchus; und lag unter dunkelroten Lampen in einer Weinlaube in Italien, wie sie sich oft liegen gesehen hatte; während Sands die Uhr ticken hörte; den Kater sah; eine summende Fliege gewahrte; und, wie ihre Lippen zeigten, einen Groll verspürte, den sie nicht aussprechen durfte, darüber, daß Leute Arbeit in der Küche verursachten, während sie einen großartigen Spaß damit hatten, Papierrosen in der Scheune aufzuhängen.

»Wird es schön sein?« fragte Mrs. Swithin, das Messer in der Luft. In der Küche bemühten sich alle, auf die Schrullen Mutter Swithins einzugehn.

»Scheint ganz gut möglich«, sagte Mrs. Sands und lugte mit ihrem scharfen Blick durch das Küchenfenster.

»Letztes Jahr war's nicht«, sagte Mrs. Swithin. »Erinnern Sie sich, was für einen Rummel wir gehabt haben – als der Regen kam – die Sessel hereinzuholen?« Sie schnitt wieder. Dann erkundigte sie sich nach Billy, dem Neffen Mrs. Sands', der beim Fleischhauer in der Lehre war.

»Er hat getan«, sagte Mrs. Sands, »was Lehrjungen nicht tun sollten. War frech mit dem Meister.«

»Wird schon recht werden«, sagte Mrs. Swithin, halb den Jungen meinend, halb das Sandwich; wie es sich traf, ein sehr nettes, dreieckig zugeschnittenes.

»Mr. Giles wird vielleicht spät kommen«, fügte sie hinzu und legte es selbstzufrieden auf den Stapel der übrigen.

Denn Isas Mann, der Börsenmakler, käme aus London. Und der kleine Lokalzug, der den Anschluß an den Schnellzug besorgte, kam keineswegs immer pünktlich, auch wenn Giles den früheren Zug erreichte, was keineswegs gewiß war. In welchem Fall es bedeutete – aber was es für Mrs. Sands bedeutete, wenn Leute den Zug versäumten und sie, was immer sie vorhaben mochte, beim Küchenherd warten mußte, um die Mahlzeit warm zu halten, das wußte niemand.

»So!« sagte Mrs. Swithin und überblickte die Sandwiches, einige nett geschnitten, einige nicht. »Ich werd' sie in die Scheune 'rübertragen.« Was die Limonade betraf, so nahm sie ohne den Schatten eines Zweifels an, daß Jane, das Küchenmädchen, ihr mit der folgen werde.

Candish blieb im Eßzimmer stehn, um eine gelbe Rose zurechtzurücken. Gelb, weiß, nelkenrot – so ordnete er sie an. Er liebte Blumen und, sie zu arrangieren und das grüne schwert- oder herzförmige Blatt, wohin es gehörte, zwischen sie zu stecken. Er liebte sie wunderlicherweise, wenn man sein Wetten auf Pferde und sein Trinken bedachte. Die gelbe Rose kam an ihren Platz. Nun war alles bereit – silbern und weiß, Gabeln und Servietten, und in der Mitte die gefleckte Schale mit verschiedenfarbenen Rosen. Also verließ er nach einem letzten Blick das Eßzimmer.

Zwei Gemälde hingen gegenüber dem Fenster. Im wirklichen Leben waren sie einander nie begegnet, die schmächtige Dame und der Mann, der sein Pferd am Zügel hielt. Die Dame war ein Porträt, das Mr. Oliver gekauft hatte, weil es ihm gefiel; der Mann war ein Ahn. Er hatte einen bekannten Namen. Er hielt die Zügel in seiner Hand. Er hatte zu dem Maler gesagt:

»Wenn Sie mein Konterfei machen wollen, verdammt, Sir, tun Sie's, solange die Blätter an den Bäumen sind.« Es waren Blätter an den Bäumen. Er hatte gesagt: »Ist denn da nicht Platz auch für Colin, nicht nur für Buster?« Colin war sein berühmter Hetzhund. Aber es war nur Platz für Buster gewesen. Eine verdammte Schande, schien er zu sagen, zu der Tischgesellschaft, nicht zu dem Maler, eine verdammte Schande, Colin wegzulassen, den er zu seinen Füßen begraben haben wollte, in demselben Grab, um 1750; aber dieser Halunke, der Reverend Wiehießernur, wollte es nicht erlauben.

Er war einer, der von sich reden machte, dieser Ahn. Die Dame aber war nur ein Bild. In ihrer gelben Robe, an eine Säule gelehnt, die ihr Stütze sein sollte, einen silbernen Bogen in der Hand und eine große Straußfeder im Haar, führte sie das Auge hinauf, hinab, von Gerundetem zu Geradem, durch Lichtungen von Grün und Tönungen von Silber, Fahlbraun und Rosa in Schweigen. Das Zimmer war leer.

Leer, leer, leer; still, still, still. Der Raum war eine Muschel, die davon sang, was vor der Zeit gewesen war; eine Vase, ins Innerste des Hauses gestellt, eine alabasterne, glatte, kühle, die die stille, destillierte Essenz der Leere enthielt: Schweigen.

Auf der andern Seite der Halle öffnete sich eine Tür. Eine Stimme, eine zweite, eine dritte kamen geschwebt und geschwirrt: brummig – Barts Stimme; piepsig – Lucys Stimme; mittellaut – Isas Stimme. Ihre ungehaltenen, ungeduldigen, protestierenden Stimmen hallten durch die Halle und sagten: »Der Zug hat Verspätung«; sagten: »Lassen Sie's warm stellen«; sagten: »Wir werden nicht, nein, Candish, wir werden nicht warten.«

Aus der Bibliothek kommend, hielten die Stimmen in der Halle inne. Sie begegneten offenbar einem Hindernis; einem Fels. War es völlig unmöglich, sogar mitten auf dem Land, allein zu bleiben? Das war der Schock. Danach wurde der Fels umbrandet, umarmt. Wenn es lästig war, so war es doch auch unerläßlich. Man durfte nicht ungesellig sein. Aus der Bibliothek kommend, war es peinlich, aber pläsierlich, bums, in Mrs. Manresa hineinzulaufen und in einen jungen Mann mit hanffarbenem Haar und einem verzogenen Gesicht. Es gab kein Ausweichen; die Begegnung war unvermeidlich. Uneingeladen, unerwartet, Hereingeschneite, von der Landstraße weggelockt durch denselben Instinkt, der Schafe und Kühe treibt, die Nähe ihresgleichen zu suchen, waren sie gekommen. Aber sie hatten einen Eßkorb mitgebracht. Und hier waren sie nun.

»Wir konnten nicht widerstehn, als wir den Namen auf dem Wegweiser sahen«, begann Mrs. Manresa mit ihrer üppigen Flötenstimme. »Und dies ist ein Freund – William Dodge. Wir wollten uns schon ganz allein auf eine Wiese setzen. Und ich sagte: ›Warum nicht unsre lieben Freunde bitten‹, weil ich den Wegweiser sah, ›uns Obdach zu gewähren?‹ Einen Platz am Tisch – das ist alles, was wir brauchen. Wir haben unser Futter. Wir haben unsre Gläser. Wir verlangen nichts als –« Gesellschaft offenbar; mit ihresgleichen zu sein.

Und sie schwenkte die Hand – auf der sie einen Handschuh trug, und unter dem Handschuh anscheinend eine Anzahl von Ringen, – gegen den alten Mr. Oliver hin.

Er neigte sich tief über ihre Hand; ein Jahrhundert früher hätte er sie ihr geküßt. In all diesem Lautwerden von Willkommen, Beteuerung, Entschuldigung und abermals Willkommen war ein Element von Schweigen, beigestellt von Isabella, die den unbekannten jungen Mann beobachtete. Er war selbstverständlich ein Gentleman; das bezeugten seine Socken und seine Hose; ein Intelligenzler – getüpfelter Schlips, nicht ganz zugeknöpfte Weste; ein Städter, von Berufs wegen, nämlich lehmfarben, ungesund; sehr nervös, ein Zucken zeigend bei dem plötzlichen Vorgestelltwerden, und im Grund höllisch eingebildet, denn er mißbilligte Mrs. Manresas Überschwenglichkeit und war doch ihr Gast.

Isa empfand Feindseligkeit und dennoch Neugier. Aber als Mrs. Manresa, um alles hübsch ordentlich in Form zu bringen, sagte: »Er ist Künstler«, und William Dodge sie verbesserte: »Ich bin Beamter in einem Amt« – sie glaubte, ihn »Erziehung« oder »Zivilarchiv« sagen zu hören, – hatte sie den Finger auf dem Knoten, der sich so eng zusammengezogen hatte, fast bis zu einem Schielen, sicherlich zu einem Tick in seinem Gesicht.

Dann gingen sie zum Essen hinein, und Mrs. Manresa sprudelte über, freute sich ihrer Fähigkeit, ohne mit der Wimper zu zucken, diese kleine gesellschaftliche Krise zu überwinden – das Auflegen von noch zwei Gedecken. Denn vertraute sie nicht völlig auf Fleisch und Blut? Und sind wir denn nicht alle von Fleisch und Blut? Und wie dumm, ein Aufheben von Kleinigkeiten zu machen, wenn wir doch alle unter der Haut Fleisch und Blut sind – die Männer wie die Frauen! Aber sie zog die Männer vor – offenbar.

›Oder wozu deine Ringe und deine Nägel und dieses wirklich entzückende Strohhütchen?‹ redete Isabella im stillen Mrs. Manresa an und ließ auf diese Weise Schweigen seinen unmißverständlichen Beitrag zum Gespräch leisten. Ihr Hut, ihre Ringe, ihre Fingernägel, die rosenroten, muschelglatten, waren vor aller Augen. Nicht aber ihre Lebensgeschichte. Die bestand nur aus Fetzchen und Fragmenten für alle hier, ausgenommen vielleicht William Dodge, den sie öffentlich ›Bill‹ nannte – möglicherweise ein Zeichen, daß er mehr wußte als die andern. Einiges von dem, was er wußte – daß sie um Mitternacht im Seidenpyjama im Garten umherging, den Lautsprecher Jazz spielen ließ und eine Cocktailbar hatte, das wußten sie natürlich auch. Aber nichts Privates; keine eigentlich biographischen Tatsachen.

Geboren war sie – aber nur Klatsch behauptete das – in Tasmanien: ihr Großvater war irgendeiner Mankelei, eines mittviktorianischen Skandals wegen exportiert worden; Malversationen von Treuhandvermögen, war's das gewesen? Aber die Geschichte gelangte das einzige Mal, daß Isabella sie hörte, nicht weiter als bis zu ›exportiert‹, denn der Mann der mitteilsamen Dame – Mr. Blencowe vom Meierhof – fand pedantisch an dem Wort ›exportiert‹ etwas auszusetzen, sagte, ›expatriiert‹ entspräche besser, sei aber auch nicht das richtige Wort, das ihm auf der Zunge liege, dessen er aber nicht habhaft werden könne. Und so versandete die Geschichte. Manchmal erwähnte Mrs. Manresa einen Onkel, einen Bischof, aber der wurde bloß für einen Kolonialbischof gehalten; in den Kolonien vergab und vergaß man sehr leicht. Es wurde auch behauptet, ihre Diamanten und Rubine seien von einem ›Gatten‹, der nicht Ralph Manresa war, eigenhändig aus der Erde gegraben worden. Ralph, ein Jude, stets so herausstaffiert, daß er wie das wahre Ebenbild der landbesitzenden Gentry aussah, lieferte aus der Leitung verschiedener Gesellschaften in der City – das war gewiß – scheffelweise Geld; und sie hatten keine Kinder. Aber sicherlich war es, mit Georg VI. auf dem Thron, altmodisch, verstaubt, roch nach mottenzerfressenen Pelzen, gemahnte an Glasperlen, Kameen und schwarzgerändertes Briefpapier, in der Vergangenheit von Leuten stöbern zu gehn?

»Alles, was ich brauche«, sagte Mrs. Manresa und machte Candish Augen, als wäre der ein wirklicher Mann und nicht ein ausgestopfter, »ist ein Korkzieher.« Sie hatte eine Flasche Champagner mit, aber keinen Korkzieher.

»Sehen Sie sich nur, Bill«, setzte sie fort und spreizte den Daumen – sie war beim Öffnen der Flasche – »die Bilder an! Hab' ich Ihnen nicht gesagt, daß ein Genuß auf Sie wartet?«

Ordinär war sie in ihren Bewegungen, in ihrer ganzen Person, zu betont sinnlich, zu auffällig angezogen für ein Picknick. Aber was für eine wünschenswerte, zumindest wertvolle Eigenschaft das war – denn wenn sie sprach, fühlte jedermann sogleich: ›*Sie* hat's getan, *sie* hat's gesagt, nicht ich‹, und konnte sich den Verstoß gegen das Dekorum zunutze machen, die frische Luft, die hereinwehte, und nachfolgen wie aufschnellende Delphine im Kielwasser eines

Eisbrechers. Gab sie dem alten Bartholomew nicht seine Gewürzinseln wieder, seine Jugend?

»Ich sagte ihm«, setzte sie fort und machte nun Bart Augen, »daß er unsre Sachen« (von denen sie Haufen und Berge hatten) »nicht mehr ansehen würde, nachdem er die Ihren gesehen hätte. Und ich versprach ihm, Sie würden ihm auch diesen Dingsda zeigen – diesen –« Hier quoll der Champagner hoch, und sie bestand darauf, Barts Glas als erstes zu füllen. »Was ist das nur, worüber ihr gelehrten Herren alle in Verzückung geratet? Ein Bogen? Normannisch? Angelsächsisch? Wer ist am kürzesten aus der Schule 'raus? Mrs. Giles?«

Sie äugelte jetzt zu Isabella hin, verlieh ihr Jugend; aber immer, wenn sie zu Frauen sprach, verschleierte sie ihren Blick, denn da die Mitverschworene waren, durchschauten sie's.

Und so, mit einem Schlag nach dem andern, mit Champagner und Geäugel als Pflöcken, steckte sie ihre Mutung ab, ein wildes Naturkind zu sein, das hereingeweht gekommen war in diesen – sie leistete sich ein heimliches Lächeln – geschützten Hafen; was sie, die aus London kam, wirklich lächeln machte; aber es war auch eine Herausforderung an London. Denn nun ging sie dazu über, ihnen eine Kostprobe ihres Lebens zu bieten; ein paar Kröpfchenvoll Klatsch; bloßen Tand; aber sie gab ihnen den für was immer er wert sein mochte. Wie sie letzten Dienstag Soundso zum Tischnachbarn gehabt habe: sie fügte ganz beiläufig einen Vornamen hinzu, dann einen Spitznamen; und er ihr erzählt habe – denn was man ihr, als einem bloßen Niemand, erzähle, darauf achte man nicht sehr – und »im strengsten Vertrauen, das brauche ich Ihnen nicht erst zu sagen«, sagte sie es ihnen.

Und alle spitzten sie die Ohren. Und dann, mit einer Geste beider Hände, als würfe sie dieses ganze verhaßte ›unter dem Kessel prasselnde‹ Londoner Leben – so – über Bord, rief sie aus: »Und siehe da, was ist das erste, was ich tue, wenn ich hier aufs Land herauskomme?« Sie seien erst gestern abend gekommen, auf Nebenstraßen, zwischen blühenden Hecken, sie allein mit Bill, so war zu verstehn; weg aus London, das plötzlich schlampig und schmutzig geworden zu sein schien; noch rechtzeitig, um sich hier zum Abendessen zu setzen. »Was tue ich also? Darf ich es laut sagen? Ist es erlaubt, Mrs. Swithin? Ja, in diesem Haus darf man alles sagen. Ich ziehe mein Korsett aus« (hier drückte sie die Hände an die Seiten – sie war dick) »und wälze mich im Gras. Wälze mich buchstäblich – Sie werden mir glauben...« Sie lachte von Herzen. Sie habe es aufgegeben, sich um ihre Figur zu kümmern, und so ihre Freiheit erlangt.

›Das ist echt‹, dachte Isa. Ganz echt. Und ihre Liebe fürs Land, die auch. Oft, wenn Ralph Manresa in der Stadt bleiben mußte, kam sie allein heraus; trug einen alten Gartenhut; lehrte die Frauen des Dorfs *nicht* Einlegen und Einmachen, sondern kokette Körbchen aus gefärbtem Stroh flechten. Sich unterhalten, das sei's, was sie wollten, behauptete sie. Man konnte sie oft, wenn man sie besuchen ging, zwischen den Stockrosen jodeln hören.

Ein wirklich ganz famoser Kerl, das war sie. Sie gab dem alten Bartholomew das Gefühl, jung zu sein. Aus dem Augenwinkel sah er, als er sein Glas hob, ein Flitzen von Weiß im Garten. Jemand ging vorbei.

Das Küchenmädchen ging, bevor die Teller aus dem Eßzimmer kämen, sich die Wangen kühlen bei dem Wasserrosenteich.

Dort waren immer Wasserrosen gewesen, die sich selbst angesät hatten, aus vom Wind vertragenen Samen, und rot und weiß auf den grünen Tellern ihrer Blätter schwammen. Wasser war seit Hunderten von Jahren in die Mulde gesickert und stand dort vier oder fünf Fuß hoch über einem schwarzen Kissen von Schlamm. Unter der dicken Platte grünen Wassers schwammen Fische, in ihre Welt, deren Mittelpunkt sie waren, eingeglast, – rotgoldene, mit Weiß gefleckte, mit Schwarz oder Silber gestreifte. Stumm manövrierten sie in ihrer Wasserwelt, regungslos stillhaltend in dem blauen Fleck, den der Himmel darauf malte, oder lautlos an den Rand flitzend, wo das Gras zitternd eine Franse nickender Schatten bildete. Auf der flüssigen Fläche hinterließen Wasserläufer Abdrücke ihrer spinnendünnen Füße. Ein Samenkorn fiel und spiralte hinunter; ein Blütenblatt fiel, füllte sich und sank. Da hielt die Flottille schiffsförmiger Leiber an; hielt sich still; gerüstet; gepanzert; und dann, mit einem welligen Wedeln, schossen sie davon.

Mitten in dieser Tiefe, in diesem Innersten von Schwärze, hatte die Dame sich ertränkt. Vor zehn Jahren war der Teich gedreggt und ein Schenkelknochen herausgeholt worden. Leider war es der eines Schafs gewesen, nicht einer Dame. Und aus Schafen wurden keine Geister, denn Schafe haben keine Seele. Aber die Dienstmädchen bestanden darauf, sie müßten ihr Gespenst haben; es müsse das einer Dame sein; einer, die sich aus unglücklicher Liebe ertränkt hatte. Also wollte keins von ihnen nachts an dem Wasserrosenteich vorbei, nur jetzt, wenn die Sonne schien und die Herrschaft noch bei Tisch saß.

Das Blumenblatt versank; das Mädchen ging in die Küche zurück. Bartholomew nippte von seinem Wein. Glücklich wie ein Junge fühlte er sich; doch unbekümmert wie ein alter Mann: ein ungewohntes, ein angenehmes Gefühl. Im Geist nach etwas tastend, was er der anbetungswürdigen Dame sagen könnte, wählte er das Nächstliegende: die Geschichte von dem Schafsknochen. »Dienstboten«, sagte er, »müssen ihr Gespenst haben.« Küchenmädchen ihre ertrunkene Dame.

»Aber das muß auch ich«, rief das wilde Naturkind, Mrs. Manresa. Sie wurde plötzlich feierlich ernst wie eine Eule. Sie habe *gewußt*, sagte sie und knetete, um dem Nachdruck zu geben, eine Brotkrume mit den Fingerspitzen, daß Ralph, als er im Krieg gewesen sei, nicht fallen könnte, ohne daß sie ihn gesehen hätte – »wo immer ich war, was immer ich tat«, fügte sie hinzu und schwenkte die Hände, daß die Diamanten im Sonnenlicht blitzten.

»So etwas fühle ich nicht«, sagte Mrs. Swithin, den Kopf schüttelnd.

»Nein«, lachte Mrs. Manresa, »Sie würden's nicht. Niemand von Ihnen hier. Sehen Sie, ich stehe auf einer Stufe mit...« sie wartete, bis Candish sich zurückgezogen hatte, »den Dienstboten. Ich bin lange nicht so erwachsen, wie Sie alle das sind.«

Sie plusterte sich, tat sich etwas auf ihr Nichterwachsensein zugute. Mit Recht oder Unrecht? Ein Quell von Gefühl sprudelte durch ihren Schlamm herauf. Die andern da hatten über den ihren Marmorblöcke gewälzt. Schafsknochen waren Schafsknochen für sie, nicht die Überreste der ertrunkenen Lady Ermyntrude.

»Und in welches Lager«, wandte sich Bartholomew an den unbekannten Gast, »gehören Sie? In das der Erwachsenen oder der Unerwachsenen?«

Isabella öffnete den Mund und hoffte, Dodge werde den seinen öffnen und ihr so ermöglichen, ihn einzureihen. Der aber saß da und starrte. »Verzeihung, was sagten Sie, Sir?« fragte er. Alle blickten auf ihn. »Ich sah die Bilder an.«

Das Bild sah niemanden an. Das Bild zog sie alle die Pfade des Schweigens entlang.

Lucy brach es.

»Mrs. Manresa, ich werde Sie um eine Gefälligkeit bitten müssen – im Notfall, heute nachmittag – würden Sie singen?«

»Heute nachmittag?« Mrs. Manresa war starr. Sei heute das Fest? Sie habe sich nicht träumen lassen, daß es diesen Nachmittag stattfinde. Sie beide hätten sich niemals eingedrängt, wenn sie gewußt hätten, es sei diesen Nachmittag. Und selbstverständlich ertönten die Glocken abermals. Isa hörte ihr erstes Läuten; und das zweite; und das dritte – wenn's regnerisch wäre, in der Scheune; wenn's schön wäre, auf der Terrasse. Und wie würde es sein? Regnerisch oder schön? Und sie alle blickten durchs Fenster hinaus. Dann öffnete sich die Tür. Candish meldete, Mr. Giles sei angekommen; Mr. Giles werde sogleich unten sein.

Giles war gekommen. Er hatte den großen silberplattierten Wagen vor der Haustür gesehen, mit den Initialen R. M. so verschlungen, daß sie aus der Ferne wie eine Adelskrone aussahen. Offenbar Besuch, hatte er geschlossen, als er dahinter hielt, und war in sein Zimmer gegangen, um sich umzukleiden. Der Geist der Konvention kam an die Oberfläche, wie ein Erröten oder eine Träne auf den Druck einer Gemütsbewegung aufsteigt; so rührte das Auto an seine Erziehung. Er mußte sich umkleiden. Und er kam wie ein Kricketspieler ins Eßzimmer: in Flanellhose und blauer Jacke mit Messingknöpfen; obwohl er erbittert war. Hatte er nicht in der Morgenzeitung im Zug gelesen, daß sechzehn Männer erschossen, andre eingekerkert worden waren, gleich dort drüben, in dem flachen Land jenseits der Kluft, die einen vom Kontinent schied? Und doch hatte er sich umgekleidet. Tante Lucy war es gewesen, die ihn, als er ins Haus ging, mit einem Handwinken bewogen hatte, sich umzukleiden. Er hängte seinen Gram und Groll an ihr auf, wie man einen Mantel an einen Haken hängt, instinktiv. Tante Lucy, die närrische, ungehemmte; die schon immer, seit er sich nach dem Abgang von der Universität dafür entschieden hatte, einen Posten in der City anzunehmen, ihrem Erstaunen, ihrer Belustigung über Männer Ausdruck gegeben hatte, die ihr Leben damit verbrachten, zu kaufen und zu verkaufen – Pflüge? Oder seien's Glasperlen? Oder Aktien und Obligationen? – und zwar an Wilde, die höchst wunderlicherweise – denn seien sie nackt nicht viel schöner? – wünschten, sich zu kleiden und zu leben wie Engländer? Ein frivoler, ein boshafter Ausspruch von ihr, und über ein Problem, das ihn, weil er keine besondere Begabung, kein Kapital besessen hatte und rasend verliebt gewesen war in seine Frau – er nickte ihr über den Tisch weg zu – seit zehn Jahren bedrängt hatte. Wenn er die Wahl gehabt hätte, wäre er Landwirt geworden. Aber die Wahl wurde ihm nicht gestellt. So führte eins zum andern; und die ganze Anhäufung davon drückte einen platt; hielt einen fest, wie einen Fisch im Wasser. Also kam er nur übers Wochenende und kleidete sich um.

»Guten Tag allerseits«, sagte er; nickte dem unbekannten Gast zu; faßte eine Abneigung gegen ihn; und aß sein Seezungenfilet.

Er war der wahre Typus alles dessen, was Mrs. Manresa anbetete. Seine Haare lockten sich; sein Kinn, nicht etwa, wie das so vieler, zurückweichend, war fest geformt; die Nase gerade, wenngleich kurz; die Augen, zu diesen Haaren, waren selbstverständlich blau; und letztlich, um den Typus vollständig zu machen, drückte sich in seinem Gesicht etwas Ungestümes, Ungezähmtes aus, das sie, sogar mit ihren Fünfundvierzig, dazu anspornte, ihre alten Batterien aufzuladen.

›Er ist mein Mann‹, sagte sich Isabella, als sie über den Strauß bunter Blumen hinweg einander zunickten. ›Der Vater meiner Kinder.‹ Es wirkte, das alte Klischee; sie empfand Stolz; und herzliche Zuneigung; dann wieder Stolz auf sich selbst, die er erwählt hatte. Es war ein Schock für sie, nach dem morgendlichen Blick in den Spiegel und nach dem Pfeil des Begehrens, mit dem gestern abend der Herrenfarmer sie durchschossen hatte, wieviel sie, als er hereinkam – nicht ein geschniegelter Geschäftsmann aus der City sondern ein Kricketer – an Liebe fühlte; und an Haß.

Sie hatten einander in Schottland kennengelernt, beim

Fischen – sie von einem, er von einem andern Felsblock aus. Ihre Angelschnur hatte sich verfitzt; sie hatte es aufgegeben und ihm zugesehen vom Ufer des Bachs, der zwischen seinen Beinen dahineilte, wie er die Angel auswarf und wieder auswarf – bis, gleich einem dicken Silberbarren, einem in der Mitte gebogenen, der Lachs hochschnellte, gefangen wurde und sie den Angler liebte.

Auch Bartholomew liebte ihn; und gewahrte seinen Ärger – worüber? Aber er erinnerte sich seiner Gäste. Die Familie war in Gegenwart Fremder keine Familie. Er müßte ihnen, recht umständlich, die Geschichte von den Bildern erzählen, die der unbekannte Gast betrachtet hatte, als Giles hereinkam.

»Der dort«, er wies auf den Mann mit dem Pferd, »war mein Ahn. Er besaß einen Hund. Der Hund war berühmt. Der Hund hat seinen Platz in der Geschichte. Mein Ahn hinterließ schriftlich, er wünsche, daß sein Hund mit ihm begraben werde.«

Sie sahen alle auf das Bild.

»Ich hab' immer das Gefühl«, unterbrach Lucy das Schweigen, »er sagt: ›Malen Sie meinen Hund!‹«

»Aber was ist's mit dem Pferd?« fragte Mrs. Manresa.

»Das Pferd«, sagte Bartholomew und setzte seine Brille auf. Er sah das Pferd an. Die Hinterhand war nicht, wie sie sein sollte.

William Dodge aber sah noch immer auf die Dame.

»Ah«, sagte Bartholomew, der dieses Bild gekauft hatte, weil das Bild ihm gefiel, »Sie sind ein Künstler.«

Dodge verneinte das, zum zweitenmal in einer halben Stunde, oder vielmehr Isa bemerkte es.

Warum hatte ein famoser Kerl wie diese Manresa, fragte sich Giles, solche Halbblüter im Schlepptau? Und zu schweigen, war sein ganzer Beitrag zum Gespräch – Dodge, hieß das, schüttelte den Kopf. »Mir gefällt das Bild.« Das war alles, was zu sagen er sich aufraffen konnte.

»Und Sie haben ganz recht«, erwiderte Bartholomew. »Ein Mann – ich hab' seinen Namen vergessen – ein Mann, der Verbindung hat mit irgendeinem Institut, ein Mann, der umhergeht und Ratschläge erteilt, unentgeltlich, an Nachkommen wie wir, an degenerierte Deszendenten, sagte... sagte...« Er hielt inne. Sie alle sahen auf die Dame. Die aber sah über ihre Köpfe weg, sah auf nichts. Sie führte sie durch grüne Lichtungen ins Innerste des Schweigens.

»Sagte, es sei von Sir Joshua Reynolds?« unterbrach Mrs. Manresa es jäh.

»Nein, nein«, sagte William Dodge hastig, aber kaum hörbar.

Warum fürchtet er sich? fragte sich Isabella. Ein armseliges Exemplar, das war er; zu furchtsam, um für seine Überzeugungen einzustehn, – genau so, wie sie zu furchtsam war gegenüber ihrem Mann. Schrieb sie nicht ihre Gedichte in ein Heft ein, das wie ein Ausgabenbüchlein gebunden war, damit Giles nichts argwöhne? Sie sah Giles an.

Er war mit seinem Teller Fisch fertig. Er hatte schnell gegessen, um die andern nicht warten zu lassen. Nun gab's Kirschentorte. Mrs. Manresa zählte die Kerne.

»Schneider, Schuster, Scherenschleifer, Seemann, Bergmann, Dudelsackpfeifer, Apotheker, Weber, Pflüger... das bin ich!« rief sie, entzückt, von den Kirschkernen bestätigt zu bekommen, daß sie ein wildes Naturkind war.

»Auch daran«, fragte der alte Herr, sie höflich neckend, »glauben Sie?«

»Gewiß, gewiß glaub' ich daran«, rief sie. Nun war sie wieder im Gleis. Nun war sie wieder ganz der famose Kerl. Und auch die andern waren entzückt; jetzt konnten sie hinter ihr dreinfolgen und die silberigen und bräunlichen Schatten verlassen, die ins Innerste des Schweigens führten.

»Ich hatte einen Vater«, sagte Dodge halblaut zu Isa, die ihm zunächst saß, »der liebte Bilder.«

»Oh, ich auch!« rief sie aus. Hastig, unzusammenhängend erklärte sie. Sie wohnte oft als Kind, auch als sie einmal Keuchhusten hatte, bei einem Onkel, einem Geistlichen; der trug ein Hauskäppchen; und tat nie etwas; predigte nicht einmal; aber machte Gedichte, wenn er im Garten umherging, und sprach sie sich laut vor.

»Die Leute hielten ihn für verrückt«, sagte sie. »Ich nicht...«

Sie verstummte.

»Schneider, Schuster, Scherenschleifer, Seemann, Bergmann, Dudelsackpfeifer, Apotheker... Es ergibt sich«, sagte der alte Bartholomew, seinen Löffel hinlegend, »daß ich ein Betrüger bin. Wollen wir den Kaffee im Garten trinken?« Er stand auf.

Isa zerrte ihren Liegestuhl über den Kies und murmelte dabei: »In welche dunkle Höhle nie betretner Erde oder winddurchwehte Wälder sollen wir nun gehn? Oder schwingen uns von Stern zu Stern und tanzen in des Mondes Labyrinth? Oder...«

Sie hielt ihren Liegestuhl falsch gewinkelt. Der Rahmen mit den Kerben stand verkehrt.

»Lieder, die mir mein Onkel sang?« fragte William Dodge,

der sie murmeln hörte. Er klappte den Sessel um und tat die Querstange in die richtigen Kerben.

Sie errötete, als hätte sie in einem leeren Zimmer gesprochen und jemand wäre hinter dem Vorhang hervorgetreten.

»Sagen nicht auch Sie, wenn Sie etwas mit Ihren Händen tun, sich irgendeinen Unsinn vor?« stolperte sie los. Aber was tat er wirklich mit seinen Händen, den weißen, feinen, wohlgestalten?

Giles ging ins Haus zurück und brachte mehr Liegestühle heraus und stellte sie in einem Halbkreis auf, damit alle an der Aussicht teilhätten und im Schutz der alten Mauer säßen. Denn durch einen glücklichen Zufall war auf dem erhöhten Boden in der Sonne eine Mauer, die das Haus fortsetzte, gebaut worden, vielleicht mit der Absicht, noch einen Flügel anzufügen. Aber die Mittel dazu hatten gefehlt; der Plan wurde aufgegeben, und die Mauer blieb nichts als eine Mauer. Später hatte eine andre Generation Obstbäume gepflanzt, die mit der Zeit ihre Arme weithin an den rötlichgelben verwitterten Ziegeln ausbreiteten. Mrs. Sands nannte es ein gutes Jahr, wenn sie sechs Gläser Aprikosenkonfitüre davon machen konnte – die Früchte waren nie süß genug zum Rohessen. Vielleicht drei Aprikosen waren es wert, in Musselinsäckchen gehüllt zu werden. Aber nackt waren sie so schön, mit einer geröteten, einer grünen Backe, daß Mrs. Swithin sie nackt ließ und die Wespen Löcher hineinfraßen.

Der Boden stieg leicht an und gewährte, um aus Figgis' Reisehandbuch (1833) zu zitieren: »...einen schönen Ausblick auf das umliegende Land... Der Spitzturm des Münsters von Bolney, die Wälder von Rough Norton und, auf einer Anhöhe ein wenig zur Linken aufragend, ›Hogbens Narretei‹, ein Lusthaus, so genannt, weil…«

Das Reisehandbuch sagte noch immer die Wahrheit: 1833 war auch 1939 noch wahr. Kein Haus war gebaut worden; keine Stadt war aufgeschossen; ›Hogbens Narretei‹ ragte noch immer. Das sehr flache, in Felder geteilte Land hatte sich nur darin verändert: der Traktor hatte einigermaßen den Pflug verdrängt. Das Pferd war dahin; aber die Kuh war geblieben.

Wäre Figgis jetzt hiergewesen, hätte er dasselbe geschrieben. So sagten sie immer, wenn sie im Sommer hier saßen, um den Mokka zu trinken, und Gäste hatten. Wenn sie allein waren, sagten sie nichts. Sie blickten auf die Aussicht. Sie blickten auf das, was sie kannten, um zu sehen, ob, was sie kannten, heute nicht vielleicht anders sei. An den meisten Tagen war es sich gleich.

»Das ist's, was eine Aussicht so traurig macht«, sagte Mrs. Swithin und ließ sich in den Liegestuhl nieder, den Giles ihr gebracht hatte, »und so schön. Sie wird noch da sein«, sie nickte gegen den auf die fernen Felder gebreiteten Gazestreifen, »wenn wir's nicht mehr sind.«

Giles klappte seinen Liegestuhl mit einem Ruck in die richtige Stellung. Nur so konnte er seine Gereiztheit zeigen, seine Wut über diese alten Wuschelhirne, die dasaßen und Aussichten bestarrten über ihrem Mokka mit Sahne, wenn das ganze Europa – dort drüben – von Waffen starrte wie… Es standen ihm keine Vergleiche zu Gebot. Nur das nicht sehr wirkungsvolle Wort ›Igel‹ veranschaulichte seine Vision von einem Europa, das mit Kanonen gespickt, mit Flugzeugen sprungbereit war. Jeden Augenblick könnten Kanonen Furchen ins Land reißen, Flugzeuge das Münster von Bolney in Trümmer schmettern und die ›Narretei‹ in die Luft sprengen. Auch er liebte die Aussicht. Und nahm es Tante Lucy übel, auf Aussichten zu blicken statt – was zu tun? Was sie getan hatte, war, einen Gutsbesitzer, einen nun verstorbenen, zu heiraten; ihm zwei Kinder zu gebären, von denen das eine in Kanada lebte, das andre in Birmingham verheiratet war. Seinen Vater, den er liebte, nahm er von jeder Beurteilung aus. Was ihn selbst betraf, so war eins aufs andre gefolgt; und so saß er denn hier, unter alten Wuschelhirnen, und blickte auf Aussichten.

»Wunderschön«, sagte Mrs. Manresa, »wunderschön...« mümmelte sie; sie zündete sich soeben eine Zigarette an. Der leichte Wind blies ihr Zündholz aus. Giles hielt die Hand hohl und entzündete ein andres für sie. Auch sie war ausgenommen – warum, das hätte er nicht sagen können.

»Da Sie sich für Bilder interessieren«, wandte sich Bartholomew an den schweigsamen Gast, »sagen Sie mir doch, warum wir, als Volksstamm, so indifferent, so unresponsiv und so unrezeptiv« – der Champagner hatte ihm einen Zustrom von ungewöhnlichen Viersilbern gebracht – »gegenüber dieser edeln Kunst sind? Wogegen Mrs. Manresa, wenn sie mir die Freiheit eines alten Mannes gestatten will, ihren Shakespeare auswendig kann.«

»Shakespeare auswendig!« wehrte Mrs. Manresa ab. Sie nahm eine Pose an. »Sein oder Nichtsein, das ist hier die Frage. Ob's edler... Weiter!« Sie stieß Giles, der ihr zunächst saß, mit dem Ellbogen.

»Hinschwinden fern, vergehn, vergessen auch, was du im dichten Laube nie gekannt...« Isa steuerte die erstbesten

Verse, die ihr einfielen, bei, um ihrem Mann aus der Verlegenheit zu helfen.

»Ermattung, Fieberqual und den Verbrauch...« ergänzte William Dodge und verscharrte den Stummel seiner Zigarette in einem Grab zwischen zwei Kieseln.

»Das ist's«, rief Bartholomew und hob den Zeigefinger. »Das beweist's! Denn keine Sprungfedern werden berührt, keine Geheimlade entbreitet ihre Schätze, wenn ich sage« – er streckte noch mehr Finger – »Reynolds! Constable! Crome!«

»Warum nennt man ihn ›den alten Crome‹?« warf Mrs. Manresa ein.

»Wir haben nicht die Worte – wir haben nicht die Worte dafür«, beteuerte Mrs. Swithin. »Hinter den Augen; nicht auf den Lippen; das ist alles.«

»Gedanken ohne Worte«, sinnierte ihr Bruder, »kann's die geben?«

»Viel zu hoch für mich«, rief Mrs. Manresa, den Kopf schüttelnd. »Viel zu gescheit! Darf ich mir selber nehmen? Ich weiß, es gehört sich nicht. Aber ich hab' das Alter erreicht – und die Figur – wo ich einfach tue, was mich freut.«

Sie ergriff das silberne Sahnekännchen und ließ die glatte Flüssigkeit sich üppig in ihren Kaffee kringeln, dem sie ein gehäuftes Schäufelchen braunen Kandiszuckers hinzufügte. Genießerisch, rhythmisch rührte sie die Mischung um und um.

»Nehmen Sie, was Sie wollen! Bedienen Sie sich!« rief Bartholomew. Er fühlte den Champagner sich verflüchtigen und beeilte sich, bevor ihm die letzte Spur von Jovialität entzogen würde, das möglichste herauszuholen, als würfe er vor dem

Schlafengehn einen letzten Blick in ein hellerleuchtetes Zimmer.

Das wilde Kind, abermals von der Flutwelle gütigen Wohlwollens des alten Mannes getragen, sah über ihre Mokkatasse weg Giles an, mit dem sie sich verschworen fühlte. Ein Faden verband sie beide – sichtbar, unsichtbar, gleich diesen Fäden, nun gesehen, nun wieder nicht, die im Herbst zitternde Grashalme verbinden, bevor die Sonne aufgeht. Sie hatte ihn nur ein einziges Mal getroffen, bei einem Kricketwettspiel. Und da hatte sich zwischen ihnen ein Frühmorgenfaden angesponnen, noch ehe die Blätter und Zweiglein wirklicher Freundschaft hervorsprossen. Sie sah ihn an, bevor sie trank. Das Ansehen war ein Teil des Trinkens. Warum Sinnesempfindungen vergeuden, schien sie zu fragen, warum einen einzigen Tropfen vergeuden, der aus dieser reifen, dieser schmelzenden, dieser anbetungswürdigen Welt gepreßt werden kann? Dann trank sie. Und die Luft um sie her war von Sinnesempfindungen durchzogen. Bartholomew fühlte es; Giles fühlte es. Wäre er ein Pferd gewesen, die dünne braune Haut hätte gezuckt, als hätte sich eine Fliege darauf niedergelassen. Isabella zuckte auch. Eifersucht, Ärger bohrten sich in ihre Haut.

»Und nun«, sagte Mrs. Manresa, ihre Tasse hinstellend, »was ist's mit dieser Lustbarkeit – diesem Festspiel, in das wir da hineingeplatzt sind?« Sie gab ihm, auch dem, den Anschein saftiger Reife gleich der der Aprikose, in die sich die Wespen einbohren. »Sagen Sie mir doch, was es sein wird.« Sie wandte sich um. »Hör' ich da nicht...?« Sie lauschte. Sie hörte Gelächter drunten zwischen den Sträuchern, wo die Terrasse sich zu dem Gebüsch senkte.

Jenseits des Wasserrosenteichs fiel der Boden weiter ab, und dort unten hatten sich Sträucher und Brombeerranken zusammengefunden. Dort war immer Schatten; sonnengefleckt im Sommer, dunkel und feucht im Winter. Im Sommer gab es dort immer Schmetterlinge; Perlmutterfalter, die hindurchjagten; Admiräle, die tafelten und taumelten; Kohlweißlinge, die ohne besondern Ehrgeiz um einen Busch flatterten wie in Musselin gekleidete Milchmägde, zufrieden, ein ganzes Leben hier zu verbringen. Schmetterlingefangen hatte für eine Generation nach der andern hier begonnen; für Bartholomew und Lucy; für Giles; für George hatte es erst vorgestern begonnen, als er in seinem kleinen grünen Netz einen Kohlweißling fing.

Es war genau der richtige Platz für eine Garderobe, wie die Terrasse unverkennbar genau der richtige Platz für eine Bühne war.

»Genau der richtige Platz!« hatte Miss La Trobe ausgerufen, als sie ihre Antrittsvisite machen kam und ihr der Besitz gezeigt wurde. Es war ein Wintertag. Die Bäume waren damals entlaubt.

»Wie geschaffen für ein Festspiel, Mr. Oliver!« rief sie. »Zwischen den Bäumen dort ein und aus...« Sie schwenkte die Hand gegen die Bäume hin, die kahl im klaren Januarlicht standen.

»Hier die Bühne; da die Zuschauer! Und dort unten, hinter dem Gebüsch, eine perfekte Garderobe für die Schauspieler.«

Sie war immer eifrig darauf aus, irgend etwas zu veranstalten. Aber wo kam sie eigentlich her? Mit diesem Namen war sie vermutlich nicht rein englisch. Von den Kanalinseln vielleicht? Nur ihre Augen und irgend etwas an ihr ließen

Mrs. Bingham immer vermuten, daß sie russisches Blut in sich habe. »Diese tiefliegenden Augen; diese sehr breiten Backen« erinnerten sie – nicht, daß sie je in Rußland gewesen wäre – an Tataren. Ein Gerücht wollte wissen, sie habe eine Teestube in Winchester gehabt; die sei nicht gegangen; sie sei Schauspielerin gewesen; das sei auch nicht gegangen; sie habe ein vierzimmeriges Häuschen gekauft und es mit einer Schauspielerin geteilt, und sie hätten sich zerstritten. Sehr wenig war tatsächlich über sie bekannt. Äußerlich war sie ein bißchen dunkelhäutig, stämmig und untersetzt; stapfte durch die Wiesen in einem Kittelkleid; manchmal mit einer Zigarette im Mund; oft mit einer Reitgerte in der Hand; und drückte sich zuweilen recht derb aus – war also vielleicht doch nicht ganz eine Dame? Wie immer, sie hatte eine Leidenschaft dafür, etwas zu veranstalten.

Das Gelächter verklang.

»Werden sie Theater spielen?« fragte Mrs. Manresa.

»Theater spielen; tanzen; singen; ein bißchen von allem«, antwortete Giles.

»Miss La Trobe ist eine Dame von wundervoller Energie«, bemerkte Mrs. Swithin.

»Sie bringt jeden Menschen dazu, etwas zu tun«, ergänzte Isabella.

»Unsere Rolle«, sagte Bartholomew, »ist es, Zuschauer zu sein. Und das ist eine sehr wichtige Rolle.«

»Und wir stellen auch den Tee bei«, sagte Mrs. Swithin.

»Sollten wir nicht hingehn und mithelfen?« meinte Mrs. Manresa. »Butterbrote schneiden?«

»Nein, nein«, entgegnete Mr. Oliver, »wir sind die Zuschauer.«

»Das eine Jahr führten wir *Großmutter Gurtons Nadel* auf«, erzählte Mrs. Swithin. »Ein andres Jahr haben wir selber das Stück geschrieben. Der Sohn unsres Hufschmieds – Tony? Tommy? – hatte die herrlichste Stimme. Und Elsie vom Mühlweg – was für eine Mimik die hatte! Hat uns alle nachgeahmt: Bart; Giles; das alte Krisperl – das bin ich. Die Leute sind begabt – sehr sogar. Die Frage ist – wie das hervorholen? Darin ist sie so geschickt – Miss La Trobe. Natürlich hat sie die ganze englische Literatur, um daraus zu wählen. Aber wie kann man da wählen? Oft, an einem Regentag, beginne ich zusammenzuzählen; was ich gelesen habe; was alles ich nicht gelesen habe.«

»Und läßt Bücher auf dem Fußboden herumliegen«, sagte ihr Bruder. »Wie die Sau in der Fabel; oder war's ein Esel?«

Sie lachte, tätschelte ihm das Knie.

»Der Esel, der nicht zu wählen vermochte zwischen Heu und gelben Rüben und so verhungerte«, erklärte Isabella, um etwas – irgend etwas – zwischen ihre Tante und ihren Mann zu schieben, dem heute nachmittag diese Art von Gerede verhaßt war. Die Konten offen; zu keinem Abschluß gekommen; und er hier unter den Zuschauern.

›Wir bleiben sitzen‹ – ›Wir sind die Zuschauer‹. Wörter lagen an diesem Nachmittag nicht mehr flach im Satz. Sie erhoben sich, wurden bedrohlich und schüttelten die Faust gegen einen. An diesem Nachmittag war er nicht Giles Oliver, gekommen, um die Dörfler ihr jährliches Festspiel aufführen zu sehen; an einen Felsen geschmiedet war er und gezwungen, untätig unbeschreiblich Grauenhaftes mit anzusehen. Sein

Gesicht zeigte das; und Isa, die nicht wußte, was sagen, warf plötzlich, halb absichtlich, eine Mokkatasse vom Tischchen.

William Dodge fing sie im Fallen auf. Er hielt sie einen Augenblick in der Hand. Er wendete sie um. An der schwachen blauen Marke gleich gekreuzten Dolchen, unter der Glasur auf dem Boden, erkannte er, daß sie englisch war, vielleicht in Nottingham gemacht; um 1760. Seine Miene, während er die Dolche betrachtete und zu diesem Schluß kam, lieferte Giles noch einen Haken, um seine Wut daran zu hängen, wie man seinen Mantel bequem an einen Haken hängt. Ein Schmeichler; ein Speichellecker; nicht ein aufrichtiger schlichter Sinnenmensch; sondern ein Zupfer und Zauser; ein Befingerer von Empfindungen; wählerisch und wühlerisch; tändelnd und trödelnd; nicht der Mann, eine unumwegige Liebe für eine Frau zu hegen – sein Kopf war dem Kopf Isas ganz nahe – sondern einfach ein... Bei diesem Wort, das er nicht öffentlich aussprechen konnte, verzogen sich seine Lippen; und der Siegelring an seinem kleinen Finger sah röter aus, denn die Haut daneben wurde weiß, als er die Armlehne seines Liegestuhls umklammerte.

»Oh, was für ein Spaß!« rief Mrs. Manresa mit ihrer Flötenstimme. »Ein klein bißchen von allem. Ein Lied; ein Tanz; dann ein Schauspiel, von den Dörflern selbst gespielt. Nur«, sie wandte den schiefgelegten Kopf dahin, wo Isabella saß, »bin ich sicher, *sie* war's, die's geschrieben hat. Waren Sie's nicht, Mrs. Giles?«

Isa errötete und verneinte.

»Was mich betrifft«, setzte Mrs. Manresa fort, »und um's ganz deutlich zu sagen, ich kann keine zwei Wörter aneinanderfügen. Ich weiß nicht, wie es kommt – so eine Plaudertasche, wie ich bin, und mit meiner flinken Zunge – sobald ich eine Feder in der Hand habe...« Sie machte ein Gesicht, krümmte die Finger, als hielte sie eine Feder. Aber die Feder, die sie so, auf dem kleinen Tischchen, hielt, weigerte sich absolut, sich zu bewegen.

»Und meine Handschrift – so riesig – so plump –« Sie schnitt wieder ein Gesicht und ließ die unsichtbare Feder fallen.

Sehr behutsam setzte William Dodge die Tasse auf die Untertasse. »Also *er*«, sagte Mrs. Manresa, als meinte sie die Behutsamkeit, mit der er das tat, und traue ihm dieselbe Geschicklichkeit im Schreiben zu, »schreibt herrlich. Jeder Buchstabe vollkommen ausgeformt.«

Wieder sahen sie alle ihn an. Sogleich steckte er die Hände in die Taschen.

Isabella erriet das Wort, das Giles nicht ausgesprochen hatte. Na, und war es denn etwas Schlechtes, wenn es dieses Wort war? Warum über einander urteilen? Kennen wir einander? Nicht hier, nicht jetzt. Doch irgendwo dies Kleid, dies Laub und dieser Zweifel, dieser Staub... Sie wartete auf einen zweiten Reim, aber er ließ sie im Stich; doch irgendwo würde gewiß die eine Sonne scheinen, und alles, ohne Zweifel, wäre klar.

Sie schrak auf. Wieder erreichten sie Klänge von Gelächter.

»Ich glaube, ich höre sie«, sagte sie. »Sie machen sich fertig. Sie kostümieren sich dort im Gebüsch.«

Miss La Trobe schritt zwischen den schiefen Birken hin und her. Die eine Hand stak tief in ihrer Jackentasche; die andre hielt ein Folioblatt. Sie überlas, was da geschrieben stand. Sie hatte das Aussehen eines Kapitäns, der sein Deck abschreitet. Die schiefen, anmutigen Bäume mit ihren schwarzen Armbändern um die silberweiße Rinde standen etwa eine Schiffslänge voneinander entfernt.

Würde es regnen oder schön sein? Da kam die Sonne hervor; und die Augen beschattend, in der einem Admiral auf seinem Quarterdeck gemäßen Haltung, entschied sie sich, das Gefecht im Freien zu wagen. Zweifel waren vorbei. Alle Requisiten, befahl sie, müßten aus der Scheune zu dem Gebüsch gebracht werden. Das wurde ausgeführt. Und während sie selbst hin- und herschritt und alle Verantwortung auf sich nahm und auf schön, nicht auf regnerisch setzte, kostümierten sich die Schauspieler zwischen den Brombeerranken. Daher das Gelächter.

Die Kostüme lagen auf dem Gras verstreut. Kronen aus Pappe, Schwerter aus Silberpapier, Turbane, die Sechspenny-Geschirrtücher waren, lagen aufs Gras oder auf die Sträucher geworfen. Da waren Tümpel von Rot und Violett im Schatten; Blitze von Silber in der Sonne. Die Kostüme lockten die Schmetterlinge an. Rot und Silber, Blau und Gelb strömten Wärme und Süße aus. Tagpfauenaugen saugten völlerisch Fülle aus Geschirrtüchern, Kohlweißlinge tranken eisige Kühle aus Silberpapier. Gaukelnd, gustierend, wiederkehrend, nahmen sie Kostproben von den Farben.

Miss La Trobe unterbrach ihr Hin- und Herschreiten und überblickte die Szene. »Sie würde sich gut eignen zu...« murmelte sie. Denn ein andres Stück lag stets hinter dem, das sie soeben geschrieben hatte. Die Augen beschattend, sah sie umher. Auf die kreisenden Schmetterlinge... das wechselnde

Licht... die hüpfenden Kinder... die lachenden Mütter – »Nein, ich bring's nicht zusammen«, murrte sie und begann wieder ihr Schreiten.

Den ›Feldweibel‹ nannten sie sie insgeheim, wie sie Mrs. Swithin ›Krisperl‹ nannten. Ihre brüske Art und untersetzte Gestalt, ihre dicken Fußknöchel und derben Schuhe; ihre schnellen Entscheidungen, mit kehligen Akzenten hervorgebellt, – es machte sie alle bockig. Niemand ließ sich gern einzeln herumbefehlen. Aber in kleinen Trupps wandten sie sich an sie. Jemand mußte schließlich die Führung haben. Auch könnten sie dann ihr die Schuld geben. Angenommen, es gösse?

»Miss La Trobe!« riefen einige sie nun herbei. »Wie machen wir's mit dem Dings da?«

Sie blieb stehn. David und Iris hatten jedes eine Hand auf dem Grammophon. Es mußte versteckt werden; und mußte doch den Zuhörern nahe genug sein, um gehört zu werden. Nun, hatte sie nicht Anordnungen getroffen? Wo waren die mit Laub umhüllten Hürden? Her mit ihnen! Mr. Streatfield habe gesagt, für die werde *er* sorgen. Wo war Mr. Streatfield? Kein Geistlicher war zu sehen. Vielleicht war er in der Scheune. »Tommy, lauf und hol ihn her!« – »Tommy muß in der ersten Szene auftreten.« – »Beryl also...« Die Mütter stritten. Das eine Kind war ausgewählt worden; das andre nicht. Blondes Haar war ungerechterweise dunkelm vorgezogen worden. Mrs. Ebury hatte Fanny das Auftreten wegen des Nesselausschlags verboten. Im Dorf hatte Nesselausschlag einen andern Namen.

Mrs. Balls Häuschen war nicht grade, was man sauber nennen konnte. Im Weltkrieg hatte Mrs. Ball mit einem andern

Mann zusammen gelebt, während ihr angetrauter im Schützengraben war. Das alles wußte Miss La Trobe, weigerte sich aber, dahinein verstrickt zu werden. Sie platschte in das feine Netzgewebe wie ein großer Stein in den Wasserrosenteich. Das Kreuz-und-Quer wurde zerschmettert. Nur die Wurzeln unter Wasser waren für sie von Nutzen. Eitelkeit zum Beispiel machte sie alle knetbar. Die Burschen wollten die großen Rollen; die Mädel wollten die schönen Kostüme. Ausgaben mußten niedrig gehalten werden. Zehn Pfund waren die Grenze. So wurde denn gegens Gewohnheitsmäßige verstoßen. Von Gewohnheitsmäßigem umwickelt, konnten sie nicht, wie sie selbst das konnte, sehen, daß ein Geschirrtuch, um einen Kopf gewunden, im Freien viel luxuriöser aussah als wirkliche Seide. Also zankten sie sich; sie aber hielt sich heraus. Auf Mr. Streatfield wartend, schritt sie zwischen den Birken hin und her.

Die andern Bäume waren prächtig gerade gewachsen. Und sie standen nicht zu regelmäßig; aber regelmäßig genug, um an Pfeiler in einer Kirche zu gemahnen; einer Kirche ohne Dach; einem Freiluftdom, einem Raum, wo schwippende Schwalben, weil die Bäume so regelmäßig standen, ein Muster zu weben schienen, tanzten, wie die Russen tanzen, nur nicht zu Musik, sondern nach dem unhörbaren Rhythmus ihrer eignen wilden Herzen.

Das Gelächter war verklungen.

»Wir müssen unsre Seelen in Geduld fassen«, sagte Mrs. Manresa nun schon zum zweitenmal. »Oder könnten wir mithelfen?« schlug sie vor und blickte über die Schulter. »Vielleicht mit diesen Stühlen?«

Candish und ein Gärtner und ein Dienstmädchen, alle brachten sie Stühle – für die Zuschauer. Für diese gab es nichts zu tun. Mrs. Manresa unterdrückte ein Gähnen. Sie schwiegen alle. Sie starrten auf die Aussicht, als könnte auf einer dieser Wiesen, einem dieser Felder etwas geschehen, was ihnen die unerträgliche Last erleichtern würde, schweigend gemeinschaftlich hier zu sitzen und nichts zu tun. Seelisch und körperlich waren sie einander zu nah und doch nicht nah genug. Wir sind nicht frei genug, fühlte ein jedes von ihnen für sich, um jedes für sich zu fühlen oder zu denken, noch auch, um ein wenig zu schlummern. Wir sind einander zu nah; aber nicht nah genug. Darum waren sie unruhig.

Es war viel wärmer geworden. Die Wolken waren verschwunden. Überall war jetzt Sonnenschein. Die von der Sonne bloßgelegte Aussicht war verflacht, zum Schweigen gebracht, gestillt. Die Kühe rührten sich nicht; die Ziegelmauer gewährte nicht länger Schutz, warf Körnchen von Hitze zurück. Der alte Mr. Oliver seufzte tief. Sein Kopf ruckte; seine Hand sank. Sie kam, einen Zoll weit vom Kopf des Hundes, auf das Gras an seiner Seite zu liegen. Dann zuckte sie wieder hinauf auf sein Knie.

Giles starrte böse, die Hände eng um die Knie geschlungen, auf die nun flachen Wiesen. Glotzend, glurend saß er schweigend da.

Isabella fühlte sich gefangen. Zwischen den Gitterstäben des Gefängnisses her, den vom Dunst ihrer Schläfrigkeit ein wenig verbogenen, trafen sie stumpfe Pfeile; Pfeile der Liebe, dann des Hasses. Durch andrer Leute Körper fühlte sie weder Liebe noch Haß deutlich. Am bewußtesten fühlte sie – sie hatte beim Mittagessen Süßwein getrunken –

ein Verlangen nach Wasser. »Ein Humpen kalten Wassers, ein Humpen kalten Wassers«, sagte sie sich immer wieder vor und sah Wasser, umgeben von schimmernden Glaswänden.

Mrs. Manresa hätte sich gern in einem Winkel ausgeruht, zusammengekuschelt, mit einem Kissen, einer Illustrierten und einem Säckchen Bonbons.

Wie von fern und unbeteiligt betrachteten Mrs. Swithin und William die Aussicht.

Aber wie verlockend, wie sehr verlockend, der Aussicht nachzugeben; einfach deren Welligkeit zu spiegeln; den Geist wellig dahinplätschern zu lassen; Umrisse sich verlängern und einknicken zu lassen – so – mit einem plötzlichen Ruck.

Mrs. Manresa gab nach, knickte ein, sank vornüber und raffte sich dann zusammen.

»Was für eine Aussicht!« rief sie und tat, als stäubte sie die Asche von ihrer Zigarette; in Wirklichkeit aber verbarg sie ein Gähnen. Dann seufzte sie und tat, als drückte sie damit nicht ihre Schläfrigkeit aus, sondern etwas im Zusammenhang mit dem, was die Aussicht sie empfinden ließ.

Niemand antwortete ihr. Die flachen Wiesen und Felder schimmerten grell, grünlichgelb, bläulichgelb, rötlichgelb, dann wieder bläulich. Eine sinnlose Wiederholung, unschön, verdummend.

»Also«, sagte Mrs. Swithin leise, als wäre nun der genau richtige Augenblick fürs Reden da und sie hätte es versprochen und nun wäre es Zeit, ihr Versprechen zu erfüllen, »kommen Sie, kommen Sie mit, und ich werd' Ihnen das Haus zeigen.«

Sie hatte zu niemand im besondern gesprochen, aber William Dodge wußte, sie meinte ihn. Er stand mit einem Ruck auf wie ein plötzlich an der Schnur straffgezogener Hampelmann.

»Welche Energie!« Mrs. Manresa seufzte es halb, und halb gähnte sie es. ›Hab' ich den Mut, mitzugehn?‹ fragte sich Isabella; die zwei gingen nun. Aber vor allem verlangte es sie nach kaltem Wasser, einem Humpen kalten Wassers; doch das Verlangen verflackerte, erdrückt von der bleiernen Pflicht, die sie andern schuldete. Sie sah den beiden nach, wie sie – Mrs. Swithin taumelig, doch trippelnd, und Dodge entfaltet und gestrafft – so nebeneinander über die grellen Fliesen am Fuß der heißen Mauer hingingen, bis sie den Schatten des Hauses erreichten.

Eine Zündholzschachtel fiel zu Boden – Bartholomews. Seine Finger hatten sie losgelassen; sie war ihm entglitten. Er gab das Spiel auf; er konnte sich nicht damit abgeben. Mit zur Seite gesunkenem Kopf und schlaff über dem Kopf des Hundes hängender Hand schlief er; schnarchte er.

Mrs. Swithin blieb einen Augenblick in der Halle stehn, zwischen den Tischen mit den vergoldeten Klauenfüßen.

»Das«, sagte sie, »ist das Treppenhaus. Und jetzt – hinauf mit uns!«

Sie ging hinauf, zwei Stufen vor ihrem Gast. Längen gelben Satins entrollten sich auf einer krakelierten Leinwand, während sie höher kamen.

»Nicht eine Ahne«, sagte Mrs. Swithin, als sie auf gleicher Höhe mit dem Kopf auf dem Bild waren. »Aber wir nehmen sie für uns in Anspruch, weil wir sie kennen – oh, schon so viele Jahre. Wer war sie?« Ihre Augen weiteten sich. »Wer hat sie gemalt?« Sie schüttelte den Kopf. Die Porträtierte sah, so vom Sonnenlicht überflutet, strahlend aus, wie bereit für ein Festmahl.

»Aber ich hab' sie am liebsten im Mondlicht«, sagte Mrs. Swithin abwägend und ging noch mehr Stufen hinauf.

Sie keuchte ein wenig beim Steigen. Auf dem Treppenabsatz ließ sie dann ihre Hand über die Bücher auf den in die Wand eingelassenen Regalen gleiten, als wären sie Pansflöten.

»Das hier sind die Dichter, von denen wir geistig abstammen, Mister...« murmelte sie. Sie hatte vergessen, wie er hieß. Und doch hatte sie ihn auserkoren.

»Mein Bruder sagt, das Haus ist nach Norden gebaut worden, damit es geschützt liege, nicht nach Süden, damit es Sonne habe. Darum sind sie im Winter feucht.« Sie machte eine Pause. »Und jetzt – was als nächstes?«

Sie blieb stehn. Es war da eine Tür.

»Das Morgenzimmer.« Sie öffnete die Tür. »Wo meine Mutter ihre Gäste empfing.«

Zwei Sessel standen einander gegenüber, zu beiden Seiten einer schön kannelierten Kamineinfassung. Er blickte ihr über die Schulter. Sie schloß die Tür.

»Jetzt hinauf, weiter hinauf.« Wieder stiegen sie aufwärts. »Hinauf und hinauf gingen sie«, keuchte sie und sah dabei, so schien es, eine unsichtbare Prozession, »hinauf und hinauf zu Bett. Ein Bischof; ein Forschungsreisender – ich hab' sogar ihre Namen vergessen. Ich weiß nichts mehr. Ich vergesse alles.«

Sie blieb vor einem Fenster in dem Gang stehn und hielt den Vorhang zur Seite. Unten lag der Garten in Sonne gebadet. Das Gras war glatt und schimmerte. Drei weiße Tauben, so schmuck wie Damen in Ballkleidern, flirteten und tänzelten. Ihre eleganten Leiber schwankten, wie sie so mit winzigen Schritten auf ihren kleinen rosa Füßen über das Gras zimperten. Plötzlich flatterten sie auf, kreisten und flogen hinweg.

»Und nun«, sagte sie, »die Schlafzimmer.« Sie klopfte zweimal sehr deutlich an eine Tür. Den Kopf zur Seite geneigt, lauschte sie.

»Man kann nie wissen«, murmelte sie, »ob nicht jemand drin ist.« Dann stieß sie die Tür weit auf.

Er erwartete halb, jemand dort zu sehen, nackt oder nur unvollständig bekleidet oder im Gebet kniend. Aber das Zimmer war leer. Es war blitzblank in Ordnung. Seit Monaten hatte offenbar niemand hier geschlafen: ein Gastzimmer. Kerzen standen auf dem Ankleidetisch. Der Bettüberwurf war glatt gespannt. Mrs. Swithin blieb neben dem Bett stehn.

»Hier«, sagte sie, »ja, hier«, sie klopfte mit der flachen Hand auf den Überwurf, »bin ich geboren worden. In diesem Bett.«

Ihre Stimme verklang. Sie sank auf den Rand des Betts nieder. Sie war müde, kein Zweifel, vom Treppensteigen, von der Hitze.

»Aber wir haben noch ein andres Leben, denke ich, hoffe ich«, murmelte sie. »Wir leben in andern, Mister … Wir leben in Dingen.«

Sie sprach ganz schlicht. Sie sprach mit einiger Anstrengung, als müßte sie ihre Müdigkeit überwinden, aus Barmherzigkeit für einen Fremden, einen Gast. Sie hatte seinen Namen vergessen. Zweimal hatte sie ›Mister‹ gesagt und gestockt.

Die Möbel waren mittviktorianisch. Bei Maples gekauft, vielleicht, in den vierziger Jahren. Der Teppich war mit kleinen dunkelroten Tupfen bedeckt. Und eine weiße Kreislinie bezeichnete die Stelle, wo der Ausgußeimer neben dem Waschtisch gestanden hatte.

Konnte er sagen: ›Ich heiße William‹? Er wünschte sehr, es zu sagen. Alt und gebrechlich, war sie die Treppe heraufgeklettert. Sie hatte ihre Gedanken ausgesprochen, ohne zu wissen, ohne sich zu kümmern, ob er, wie er es getan hatte, sie für zerfahren, sentimental, töricht hielt. Sie hatte ihm die Hand gereicht, um ihm über eine schwierige Stelle hinwegzuhelfen. Sie hatte erraten, was sein Kummer war. Wie sie so auf dem Bett saß, hörte er sie, während sie ihre kurzen Beine schwingen ließ, leise singen: »Komm und sieh meine bunten Kiesel, komm und sieh meine Meermuscheln an, komm und sieh mein Vögelchen, wie's auf seiner Stange hüpft« – ein altes Kinderliedchen, um ein Kind zu trösten. Vor der Vitrine in der Ecke stehend, sah er sie in den Glasscheiben gespiegelt. Von ihren Leibern getrennt, lächelten ihrer beider Augen, ihre körperlosen Augen, einander im Glas zu.

Dann glitt sie von dem Bett herunter.

»Also«, sagte sie, »was kommt als nächstes?« und trappelte den Gang entlang. Eine Tür stand offen. Alle waren sie draußen im Garten. Das Zimmer sah aus wie ein von seiner Besatzung verlassenes Schiff. Die Kinder hatten hier gespielt – ein scheckiges Pferd stand da mitten auf dem Teppich. Die Kinderfrau hatte genäht – es lag ein Stück Leinwand dort auf dem Tisch. Das Baby hatte in seinem Bettchen gelegen. Das Bettchen war leer.

»Das Kinderzimmer«, sagte Mrs. Swithin.

Wörter erhoben sich und wurden symbolisch. ›Die Wiege unseres Geschlechts‹, schien sie zu sagen.

Dodge ging zum Kamin hinüber und besah den Neufundländer aus dem Weihnachtsjahrbuch, der an die Wand geheftet war. Das Zimmer roch warm und süßlich; nach trocknender Wäsche und warmem Wasser; nach Milch und Keks. ›Gute Freunde‹ hieß das Bild. Ein Rascheln kam durch die offene Tür. Er wandte sich um. Die alte Frau war in den Gang hinausgewandert und lehnte am Fenster.

Er ließ die Tür offen für die Rückkehr der Schiffsbesatzung und trat neben die alte Frau.

Im Hof, unterhalb des Fensters, sammelten sich Autos. Ihre schmalen schwarzen Dächer waren aneinandergefügt wie die Brettchen eines Fußbodens. Chauffeure sprangen ab; hier streckten alte Damen zimperlich schwarze Beine in Schuhen mit Silberschnallen vor; alte Herren gestreifte Hosen. Junge Männer in Shorts sprangen auf der einen Seite heraus; Mädchen mit hautfarbenen Beinen auf der andern. Räder surrten, und der gelbe Kies knirschte. Das Publikum versammelte sich. Aber die zwei, die vom Fenster hinuntersahen, waren Ausreißer, unbeteiligt. Nebeneinander beugten sie sich halb aus dem Fenster.

Und dann kam ein Lüftchen, und alle die Musselingardinen flatterten heraus, als hätte sich inmitten ihresgleichen eine majestätische Göttin von ihrem Thron erhoben und ihr bernsteinfarbenes Gewand geschüttelt, und die andern Götter hätten, als sie sie aufstehn und gehn sahen, ihr nachgewinkt und gelacht und ihr Gelächter sie weitergeblasen.

Mrs. Swithin hob die Hände an ihre Haare, denn der leichte Wind hatte sie gezaust.

»Mister...« begann sie.

»Ich heiße William«, unterbrach er sie.

Daraufhin lächelte sie ein hinreißendes Jungmädchenlächeln, als hätte der Wind das winterliche Blau in ihren Augen zu Bernsteinfarbe erwärmt.

»Ich habe Sie«, entschuldigte sie sich, »Ihren Freunden entführt, William, weil ich mich ganz eng gewickelt fühlte, hier...« Sie berührte ihre knochige Stirn, auf der eine blaue Ader sich wand wie ein blauer Wurm. Ihre Augen aber, in den knöchernen Höhlen, hatten noch immer etwas Streichelndes. Er sah nur ihre Augen. Und er wäre am liebsten vor sie hingekniet, um ihr die Hand zu küssen und ihr zu sagen: ›In der Schule haben sie mich unter einen Eimer schmutzigen Wassers gehalten, Mrs. Swithin. Als ich aufblickte, war die Welt schmutzig, Mrs. Swithin; also heiratete ich; aber mein Kind ist nicht mein Kind, Mrs. Swithin. Ich bin ein Halbmann, Mrs. Swithin; eine flickernde, seelisch gespaltene kleine Schlange im Gras, Mrs. Swithin; und Giles hat das gesehen; Sie aber haben mich geheilt...‹ Das hätte er gern gesagt; aber sagte nichts; und das Lüftchen hoppelte die Gänge entlang und wehte die Gardinen nach außen.

Abermals sahen er und sie hinunter auf den gelben Kies, der einen Halbmond um die Haustür bildete. Von dem Kettchen hängend, schwang ihr kleines Kreuz, als sie sich hinausbeugte und die Sonne es traf. Wie konnte sie sich nur belasten mit diesem trügerisch glatten Symbol? Wie sich, die so bewegliche und unstete, mit diesem Sinnbild abstempeln? Als er darauf blickte, waren sie nicht mehr Ausreißer. Das Surren der Räder wurde stimmhaft. ›Eilt euch, eilt euch, eilt euch‹, schienen sie zu sagen, ›oder ihr werdet zu spät kommen! Eilt euch, eilt euch, eilt euch, oder die besten Plätze werden schon besetzt sein!‹

»Oh«, rief Mrs. Swithin, »dort ist Mr. Streatfield!« Und sie sahen einen Geistlichen, einen strammen Geistlichen, eine Hürde tragen, eine laubige Hürde. Er schritt zwischen den Autos einher mit dem Gehaben einer Person von Autorität, die erwartet, erhofft wird und nun kommt.

»Es wird Zeit«, sagte Mrs. Swithin, »hinunterzugehn und – « Sie ließ den Satz unbeendet, als wäre sie im Zwiespalt zweier Absichten und die flatterten nach rechts und nach links, wie Tauben sich aus dem Gras erheben.

Die Zuschauer versammelten sich. Sie kamen über die Wege hergeströmt und verteilten sich über den Rasen. Einige waren alt; einige waren in den besten Jahren. Auch Kinder waren unter ihnen. Unter ihnen waren, wie Mr. Figgis angemerkt hätte, Vertreter der angesehensten Familien – der Dyces von Denton; der Wickhams von Owlswick; und so weiter. Manche waren seit Jahrhunderten da, hatten nie einen Morgen Landes verkauft. Andrerseits waren Neukömmlinge da, die Manresas, die die alten Häuser zeitgemäß herrichteten, Badezimmer einbauten. Und ein Gesprenkel von Überbleibseln und Anhängseln, wie Cobbet vom Cobbswinkel, im Ruhestand, soviel man wußte, mit einer Pension von einer Teepflanzung. Keine Bereicherung; machte die Hausarbeit selber und grub in seinem Garten. Die Errichtung einer Automobilfabrik und eines Flugplatzes in der Nachbarschaft hatte eine Anzahl von nicht zugehörigen, fluktuierenden Wohnhaften angezogen. Da war auch Mr. Page, der Reporter, der das Lokalblatt vertrat. Grob gerechnet jedoch hätte, wäre Figgis persönlich hiergewesen und hätte einen Appell gehalten, die Hälfte der anwesenden Damen und Herren geantwortet: ›*Adsum;* ich bin hier an Stelle meines Großvaters oder Urgroßvaters‹, je nachdem es sein mochte. In ebendiesem Augenblick, um halb vier an einem Juninachmittag des Jahres 1939, begrüßten sie einander, und während sie ihre Plätze einnahmen und sich womöglich welche nebeneinander suchten, sagten sie: »Dieses scheußliche neue Haus beim Pyeseck! Tut förmlich den Augen weh. Und diese Bungalows! Haben Sie die gesehen?«

Und hätte Figgis hinwieder die Dörfler mit Namen aufgerufen, hätten auch sie sich gemeldet. Mrs. Sands war eine geborene Iliffe; Candish' Mutter war eine Perry. Die grünen Hügelchen im Kirchhof waren von ihrer Maulwurfstätigkeit aufgeworfen worden, die jahrhundertelang die Erde krümelig gemacht hatte. Allerdings, es gab auch welche, die fehlten, wenn Mr. Streatfield seinen Appell in der Kirche hielt. Das Motorrad, der Autobus, das Kino – wenn Mr. Streatfield seinen Appell hielt, gab er denen die Schuld.

Reihen von Sitzen – Liegestühle, vergoldete Stühle, gemietete Korbsessel und einheimische Gartenbänke – waren auf der Terrasse aufgestellt worden. Es gab genug Platz für jedermann. Einige aber zogen es vor, auf dem Erdboden zu sitzen. Sicherlich hatte Miss La Trobe die Wahrheit gesprochen, als sie sagte: »Wie geschaffen für ein Festspiel!« Der Rasen war so flach wie das Parkett eines Theaters. Die etwas höhere Terrasse bildete eine natürliche Bühne. Die Bäume standen wie Säulen über die Bühne verteilt. Und die menschliche Gestalt war aufs vorteilhafteste gegen einen Hintergrund von Himmel zu sehen. Was das Wetter betraf, so wurde es wider Erwarten ein sehr schöner Tag, ein vollkommener Sommernachmittag.

»Was für ein Glück!« sagte Mrs. Carter soeben. »Letztes Jahr…« Dann begann das Stück. War es oder war es nicht das Stück? Tschack, tschack, tschack, klang es aus dem Gebüsch. Es war das Geräusch, das eine Maschine macht, wenn etwas an ihr nicht in Ordnung ist. Einige setzten sich hastig; andre hörten schuldbewußt auf zu reden. Alle sahen sie zu dem Gebüsch hin, denn die Bühne war leer. Tschack, tschack, tschack, surrte die Maschine. Während alle argwöhnisch besorgt hinsahen und einige noch ihren Satz beendeten, trat ein kleines Mädchen, wie eine Rosenknospe in Rosa, hervor; stellte sich auf eine Matte hinter eine mit Laub behangene große Muschelschale und piepste:

Edle und Simple, seid gegrüßt aufs best'…

Also war es schon das Festspiel. Oder war es der Prolog?

Die ihr gekommen heut zu unserm Fest; (setzte sie fort)
Ein Schauspiel ist's, zu wissen tu ich euch's,
Aus der Geschichte unsres Inselreichs.
England bin ich…

»Sie ist England«, wurde geflüstert. »Es hat angefangen.« »Der Prolog«, fügten sie, auf das Programm hinunterblikkend, hinzu.

»*England bin ich*«, piepste die Kleine und verstummte.

Sie hatte ihren Text vergessen.

»Hört! Hört!« rief flott ein alter Herr in einer weißen Weste. »Bravo! Bravo!«

»Verdammte Gesellschaft!« fluchte Miss La Trobe, hinter einem Baum verborgen. Sie blickte die erste Reihe entlang. Die glotzten dort, als wären sie einem Frost ausgesetzt, der sie alle in gleicher Höhe abgezwickt hatte und erstarren ließ. Nur Bond, der Melker, sah beweglich und natürlich aus.

›Musik!‹ befahl sie mit einer Gebärde. ›Musik!‹ Aber die Maschine machte weiter tschack, tschack, tschack.

»*Ein neugeboren Kind...*« soufflierte Miss La Trobe.

Ein neugeboren Kind, (setzte Phyllis Jones fort)
Dem Meer entsprungen, das vom Kontinent
Mit mächtigem Wogenschwall hat abgetrennt
Dies Eiland.

Miss La Trobe warf einen Blick über die Schulter zurück. Tschack, tschack, tschack, machte die Maschine. Ein langer Zug von Dörflern in Kitteln aus Sackleinwand begann sich hinter ihr im Gänsemarsch zwischen den Bäumen herzuschlängeln. Sie sangen, aber kein Wort davon erreichte die Zuhörer.

England bin ich, (deklamierte Phyllis Jones weiter)
Noch schwach und klein,
Ein Kind, wie ihr wohl seht...

Ihre Worte bepfefferten das Publikum wie mit einem Schauer harter kleiner Steinchen. Mrs. Manresa, ganz in der Mitte, lächelte; aber sie hatte ein Gefühl, als bekäme ihre Haut Sprünge, wenn sie lächelte. Es war eine riesige Leere zwischen ihr und den singenden Dörflern, dem piepsenden Kind.

Tschack, tschack, tschack, ging das Ding dort unten wie eine Getreidemähmaschine an einem heißen Tag.

Die Dörfler sangen, aber die Hälfte ihrer Worte wurde davongeweht.

Hackten Wege durchs Land... stiegen zur Hügelkuppe auf... Unten im Tal... Wildschwein und Bär, Nashorn und Rentier ... Gruben uns ein in die Kuppe des Hügels... Mahlten Wurzeln zwischen Steinen... Mahlten Korn... bis auch wir... unterm Wasen laaagen...

Die Worte verloren sich. Tschack, tschack, tschack, tickte die Maschine. Dann endlich mahlte sie eine Melodie hervor:

Gegen das Schicksal gewappnet,
Der wackere Roderich,
Mutig und mächtig,
Stolz und prächtig,
Der kühne Krieger –
Seht, er nahet sich...

Die pompöse populäre Melodie plärrte und schmetterte. Miss La Trobe beobachtete hinter ihrem Baum. Muskeln entspannten sich; Eis zerging. Die dicke Dame in der Mitte begann mit der Hand auf der Armlehne den Takt zu schlagen. Mrs. Manresa summte:

»Mein Heim ist in Windsor, gleich neben dem Wirtshaus.
›Zum König George‹ ist der Name der Kneipe.
Und, Jungens, ihr werdet mir's gerne glauben,
Ich lass' mich nicht lange erst bitten...«

Sie trieb dahin auf dem Strom der Melodie, und Leutseligkeit, Selbstzufriedenheit, Gutgelauntheit ausstrahlend, war das wilde Kind die Königin des Fests. Das Spiel hatte begonnen.

Aber es gab eine Unterbrechung. »Oh«, stöhnte Miss La Trobe hinter ihrem Baum, »die Folter dieser Unterbrechungen!«

»Tut mir leid, daß ich so spät komme«, sagte Mrs. Swithin. Sie drängte sich durch die Sitzreihen auf einen Platz neben ihrem Bruder.

»Worum geht das Ganze? Ich hab' den Prolog versäumt. England? Diese Kleine? Jetzt ist sie verschwunden...«

Phyllis war von der Matte weggeschlüpft.

»Und wer ist das?« fragte Mrs. Swithin.

Es war Hilda, die Tochter des Zimmermanns. Sie stand nun, wo England gestanden hatte.

»*Oh, England ist fürwahr*...« soufflierte ihr Miss La Trobe.

Oh, England ist fürwahr
Ein Mädchen nun (begann Hilda melodisch)

»Was für eine liebliche Stimme!« rief jemand aus.

Und windet um ihr Haar,
Wie's Mädchen tun,
Von Rosen sich ein Kränzelein,
Von wilden roten Rosen.

»Ein Kissen? Oh, ich danke Ihnen sehr«, sagte Mrs. Swithin und stopfte das Kissen hinter ihren Rücken. Dann neigte sie sich vor.

»Das ist vermutlich England zur Zeit Chaucers. Sie ist wohl beim Maien gewesen oder kommt vom Nussen. Sie hat Blumen im Haar... Aber die dort, die hinter ihr vorbeigehn –« sie wies hin. »Die Canterbury-Pilger? Schau!«

Während der ganzen Zeit gingen die Dörfler zwischen den Bäumen ein und aus. Sie sangen; aber nur dann und wann ein Wort war vernehmbar. »*...traten wir Pfade ins Gras... bauten das Haus an der Straß'...*« Der Wind verwehte die verbindenden Worte ihres Singsangs, und schließlich, als sie den letzten Baum erreichten, sangen sie: »*Zu des Heiligen Grab wir Frommen... zu seinem Schrein... Liebespaare... Gläubige... wir kommen...*«

Sie sammelten sich zu einer Gruppe.

Dann gab es ein Rascheln und wieder eine Unterbrechung. Sessel wurden zurückgeschoben. Isa sah sich um. Mr. und Mrs. Rupert Haines, durch eine Panne auf der Straße aufgehalten, waren gekommen. Er saß ganz rechts, mehrere Reihen weiter hinten, der Mann in Grau.

Währenddessen, nachdem sie dem Grabmal ihre Verehrung erwiesen hatten, wendeten, wie es schien, die Pilger Heuschwaden mit ihren Rechen.

Die eine küßt' ich und ließ sie ziehn,
Mit der andern purzelte ich hin
Ins Heu, ins weiche Heu...

– das war's, was sie sangen, während sie das unsichtbare Heu zusammenrechten und wendeten, als Isa wieder nach vorn sah.

»Szenen aus der englischen Geschichte«, sagte Mrs. Manresa erklärend zu Mrs. Swithin. Sie sprach munter und laut, als wäre die alte Dame schwerhörig. »Das fröhliche England.«

Sie klaschte energisch in die Hände.

Die Singenden hüpften ins Gebüsch davon. Die Melodie verstummte. Tschack, tschack, tschack, tickte die Maschine.

Mrs. Manresa blickte auf ihr Programm. Es würde bis Mitternacht dauern, wenn sie nicht etwas wegließen. Frühes Britannien; Plantagenets; Tudors; Stuarts – die hakte sie im Geist ab, aber wahrscheinlich hatte sie die eine oder andre Dynastie vergessen.

»Ehrgeizig sind sie, was?« sagte sie zu Bartholomew, während alles wartete. Tschack, tschack, tschack, tickte die Maschine. Durfte man jetzt reden? Durfte man sich ein wenig rühren? Nein, denn die Vorstellung ging weiter. Doch die Bühne war leer; nur die Kühe bewegten sich auf den Wiesen; nur das Ticken der Grammophonnadel war zu hören. Dieses Tick-tick-tick schien sie alle zusammenzuhalten, in einer Trance. Ganz und gar nichts erschien auf der Bühne.

»Ich hatte keine Ahnung, wir sahen so hübsch aus«, flüsterte Mrs. Swithin William zu. Hatte sie keine? Die Kinder; die Pilger; hinter den Pilgern die Bäume und hinter denen die Wiesen – die Schönheit der sichtbaren Welt benahm ihm den Atem. Tick, tick, tick, ging das Ding weiter.

»Markiert Zeit«, sagte der alte Oliver halblaut.

»Die für uns nicht existiert«, murmelte Lucy. »Wir haben nur die Gegenwart.«

›Ist die nicht genug?‹ fragte sich William. Schönheit – war die nicht genug? Aber da bewegte sich Isa unruhig. Ihre bloßen, gebräunten Arme hoben sich nervös zu ihrem Haar. Sie wandte sich auf ihrem Liegestuhl halb um. ›Nein, nicht für uns, die wir die Zukunft haben‹, schien sie zu sagen. Die unsre Gegenwart verstörende Zukunft. Nach wem blickte sie aus? William, der sich umwandte und ihren Augen folgte, sah nur einen Mann in Grau.

Das Ticken hörte auf. Eine Tanzmelodie wurde aufgelegt. Im Takt zu der summte Isa: »Was wünsch' ich mir? Hinwegzufliegen vom Jetzt und Hier und anzulangen, wo's keine Trennung gibt, kein Bangen, doch Aug dem Aug begegnet und – Oh«, rief sie laut, »seht sie an!«

Alles klatschte in die Hände und lachte. Hinter dem Gebüsch kam Königin Elisabeth hervor – Eliza Clark, konzessionierte Tabakverschleißerin. Konnte sie wirklich Mrs. Clark aus dem Krämerladen des Dorfs sein? Sie war prächtig aufgeputzt. Ihr Kopf, mit Perlenschnüren umwunden, ragte aus einer riesigen Halskrause. Schimmernde Seidenstoffe umkleideten sie. Sechspennybroschen glänzten gleich Katzenaugen und Tigeraugen; Perlen pendelten; ihr Umhang war aus Silberbrokat – tatsächlich metalldurchwirkten Scheuerlappen. Sie sah wie das Zeitalter in Person aus. Und als sie auf die Seifenkiste in der Mitte der Bühne stieg, die vielleicht einen Fels im Ozean darstellte, ließ ihre Größe sie riesenhaft erscheinen. In ihrem Laden konnte sie mit einem einzigen Schwung ihres Arms eine Speckseite herablangen oder ein Ölfäßchen heranrollen. Einen Augenblick stand sie so, erhaben, allbeherrschend, auf der Seifenkiste, das Himmelsblau und die segelnden Wolken hinter sich. Die Brise war stärker geworden.

Die Königin dieses mächtigen Lands…

– das waren die ersten Worte, die durch den Sturm von Gelächter und Applaus hörbar wurden.

Windschneller Schiffe und bärtiger Männer
Gebieterin. (schmetterte sie)
Hawkins, Frobisher, Drake

Brachten die Frachten roter Orangen,
Silberner Barren und goldner Dukaten
Und ganzer Säcke voll Diamanten
Heim in die Häfen der Westküste dort.
(sie wies mit der Faust auf den blendend
blauen Himmel)
Herrin von Burgen, Schlössern, Palästen –
(ihr Arm schwenkte zum Haus hin)
Für mich sang Shakespeare, es jubilierten –
(eine Kuh muhte, ein Vogel zwitscherte)
Die Drossel, die Amsel im grünen Wald
Und priesen die Königin und ihr England.
Auch war da zu hören
Auf granitenen Fliesen
Und Katzenkopfpflaster
Von Windsor bis Oxford
Lautes Gelächter
Der Krieger und Pflüger
Und leises Lachen
Der Liebesleute.
Das aschblonde Kindchen,
Es streckte zufrieden
(sie streckte ihren gebräunten, muskulösen Arm aus)
Die Ärmchen aus,
Wenn von fernen Inseln
Der Seefahrer heimkam...

Hier zerrte der Wind an ihrem Kopfputz. Perlengewinde machten ihn übergewichtig. Sie mußte die Halskrause festhalten, die wegzufliegen drohte.

»Gelächter, lautes Gelächter«, murmelte Giles. Die Melodie aus dem Grammophon taumelte von einer Seite zur andern wie trunken von Belustigung. Mrs. Manresa begann, mit dem Fuß zu tappen und im Takt mitzusummen.

»Bravo! Bravo!« rief sie. »Es ist noch Leben in der alten Haut!« Und sie schmetterte die Worte des Lieds mit einer Hingabe hervor, die, wenn auch ordinär, dem Elisabethanischen Zeitalter sehr zustatten kam. Denn die Halskrause hatte sich völlig von den Nadeln gelöst, und die große Eliza hatte ihren Text vergessen, aber die Zuschauer lachten so laut, daß es nicht auf den ankam.

»Ich fürcht', ich bin nicht ganz recht im Kopf«, murmelte Giles nach derselben Melodie. Worte kamen an die Oberfläche – er erinnerte sich: »... ein waidwund Reh, in dessen schmächtige Flanke der Welt verachtungsvoller Zorn schoß seinen Dorn... Verbannt aus ihrem Festival, ward die Musik ironischer Schall... Ein Kirchhofsgeist, den Käuzchenruf verspottet und der Efeu höhnt, klopf-klopfend an das Fenster... Denn sie sind tot, und ich... ich... ich...« wiederholte er, weil ihm die nächsten Worte nicht einfielen, und starrte böse seine Tante Lucy an, die vorgeneigt, mit offenem Mund dasaß, während sie mit den kleinen, knochigen Händen klatschte.

Worüber lachten sie alle?

Über Albert, den Dorftrottel, offenbar. Es war nicht notwendig gewesen, ihn zu kostümieren. Dort kam er heran und spielte seine Rolle vollendet. Er kam übers Gras gewatschelt, schwankend und die Arme schwenkend.

Ich weiß, wo die Meise nistet (begann er)
In der Dornenhecke. Ich weiß, ich weiß –

Was weiß ich nicht alles?
Alle eure Geheimnisse, schöne Damen,
Und auch alle die euern, ihr Herren...

Er hopste der ersten Reihe der Zuhörer entlang und grinste einem nach dem andern ins Gesicht. Jetzt zupfte und zerrte er am Gewandsaum der großen Eliza. Sie gab ihm eins hinters Ohr. Er zwickte sie dafür. Er unterhielt sich glänzend.

»Albert hat im Leben nicht so viel Spaß gehabt«, murmelte Bartholomew.

»Hoffentlich kriegt er keinen Anfall«, flüsterte Lucy.

»*Ich weiß... ich weiß...*« kicherte Albert, während er um die Seifenkiste hüpfte.

»Der Dorftrottel«, flüsterte eine dicke Dame in Schwarz – Mrs. Elmhurst, die aus einem zehn Meilen entfernten Ort kam, wo es ebenfalls einen Dorftrottel gab. Es war nicht sehr hübsch. Wie, wenn er plötzlich etwas Unbeschreibliches täte? Dort stand er jetzt und zupfte die Königin am Kleidsaum. Mrs. Elmhurst bedeckte ihre Augen halb, für den Fall, daß er – etwas Unbeschreibliches täte.

Hopsassa, heisassa, (begann Albert wieder)
'rein beim Fenster, 'raus bei der Tür,
Was hört der kleine Vogel da?
(er pfiff auf den Fingern)
Und schau nur! Hier ist eine Maus...
(er tat, als wollte er sie durchs Gras verfolgen)
Nun schlägt die Uhr!
(er stand aufrecht und blähte die Backen,

als bliese er auf ein Löwenzahnorakel)
Eins, zwei, drei, vier...

und damit hüpfte er weg, als wäre seine Nummer zu Ende.

»Gut, daß das vorbei ist«, sagte Mrs. Elmhurst, die Hand vom Gesicht nehmend. »Also was kommt als nächstes? Ein Tableau...?«

Denn Helfer, die schnell aus dem Gebüsch hervorkamen und Hürden trugen, hatten den Thron der Königin mit Holzrahmen umgeben, die mit Papier bespannt waren und Wände darstellten. Sie hatten den Boden mit Binsen bestreut. Und die Pilger, die ihren Marsch und ihren Singsang im Hintergrund fortgesetzt hatten, sammelten sich nun um die Gestalt Elizas auf ihrer Seifenkiste, als bildeten sie die Zuschauerschaft eines Theaterstücks.

Wollten die dort ein Stück in Gegenwart Königin Elisabeths aufführen? Sollte das vielleicht das Globe-Theater sein?

»Was sagt das Programm?« murmelte Mrs. Herbert Winthrop und hob ihre Lorgnette.

Halblaut überlas sie den verwischten Durchschlag. Ja, es war eine Szene aus einem Stück.

»Von einem falschen Herzog; und einer als Knabe verkleideten Prinzessin; dann erweist sich der Bettler durch ein Muttermal auf der Wange als der langvermißte Erbe; und Carinthia – sie ist des Herzogs Tochter, nur hat sie sich in einer Höhle verirrt, – verliebt sich in Ferdinando, der als ganz kleines Kind von einer alten Muhme in ein Körbchen gelegt worden war. Und sie heiraten. Das ist, glaube ich, was vorgeht«, sagte sie, von dem Programm aufblickend.

»*Spielt mir das Stück!*« befahl die große Eliza. Eine betagte Alte humpelte nach vorn.

(»Mrs. Otter vom Waldhaus«, murmelte jemand.)

Sie setzte sich auf eine Packkiste und machte, indem sie an ihren unordentlichen Haarsträhnen zupfte und sich von einer Seite zur andern wiegte, Bewegungen, als wäre sie ein greises Mütterchen auf dem Sitz im Herdwinkel.

(»Die Alte, die den rechtmäßigen Erben rettete«, erklärte Mrs. Winthrop.)

's war eine Wintersnacht, (krächzte sie hervor)
Des denk' ich noch,
Der alles eins ist nun, ob's Sommer, ob Winter.
Ihr sagt, die Sonne scheint? Ich glaub's Euch, Herr.
›Ah, es ist Winter doch und Nebel wallen!‹
Der alten Elsbeth ist das alles eins,
Dieweil in ihrem Winkel hier am Herd
Den Rosenkranz sie durch die Finger schiebt.
Und sie hat guten Grund zum Beten. Jede
Holzperle dran gilt einer ihrer Sünden.
's war eine Wintersnacht vor Hahnenkraht,
Doch hat der Hahn gekräht, bevor er ging,
Der Mann mit einer Maske vorm Gesicht
Und blutigen Händen und dem Kind im Korb.
›Huhu‹, so hat's gegreint, als mocht' es sagen:
›Ich will mein Spielzeug haben.‹ Armes Wurm!
›Huhu, huhu!‹ Ich konnt' es nicht ermorden.
Dafür verzeih mir, gnädige Himmelsmutter,
Was ich vor Hahnenkraht gesündigt hab'!
Im Morgengrauen stahl ich mich zum Röhricht,
Wo sich die Möwe tummelt, wo der Reiher

Gleichwie ein Pfahl im Wasser…
Wer ist da?
(Drei junge Männer kamen auf die Bühne gestiefelt und traten an sie heran)
– *Kommt ihr mich foltern, ihr gestrengen Herrn?*
Seht, es ist wenig Blut in diesem Arm.
(sie streckte ihren hageren Unterarm aus dem zerlumpten Hemd)
Ihr Heiligen im Himmel, steht mir bei!

Sie schrie. Die drei schrien. Alle miteinander schrien sie, und so laut, daß schwer zu verstehn war, was sie sagten. Offenbar war es dies: *Erinnere sie sich, vor einigen zwanzig Jahren ein Wiegenkind zwischen den Binsen versteckt zu haben? Ein Kind in einem Korb, Alte! Ein Kind in einem Korb!* schrien sie. *Der Wind heult und die Rohrdommel kreischt*, erwiderte sie.

»Es ist wenig Blut in meinem Arm«, wiederholte Isabella.

Das war alles, was sie verstanden hatte. Es folgte ein solches Durcheinander, daß sie bei der Schwerhörigkeit der guten Alten und dem Geschrei der jungen Männer und der Verworrenheit der Handlung nicht daraus klug werden konnte.

Kam es auf die Handlung an? Sie rückte ein wenig im Sitzen und sah über die rechte Schulter zurück. Handlung war nur dazu da, Gefühle hervorzurufen. Es gab nur zwei Gefühle: Liebe – und Haß. Unnötig, die Handlung zu enträtseln. Vielleicht meinte Miss La Trobe das, als sie diesen Knoten mitten durchschnitt?

Kümmere dich nicht um die Handlung: die Handlung ist nichts.

Aber was ging wirklich vor? Der Prinz war gekommen.

Die Alte schob ihm den Ärmel hoch und erkannte das Muttermal; zurücktaumelnd in ihren Lehnsessel kreischte sie:

»*Mein Kind! Mein Kind!*«

Wiedererkennen folgte. Der junge Prinz (Albert Perry) wurde fast erdrückt in den welken Armen der Alten. Dann machte er sich jählings los.

»*Schaut, wer da kommt!*« rief er.

Alle schauten sie, wer da kam – Sylvia Edwards in weißer Seide.

Wer kam? Isa sah hin. Der Nachtigall Sang? Die Perle im schwarzen Ohr der Nacht? Die leibhaftige Liebe.

Aller Arme waren erhoben; aller Augen sahen hin.

»*Gegrüßt sei, holde Carinthia!*« sagte der Prinz, seinen Hut schwenkend. Und sie, mit aufgeschlagenen Augen, zu ihm:

»*Mein Liebster, mein Lord!*«

»Es ist genug. Genug, genug«, wiederholte Isa. Alles andre war Wortschwall, leeres Geschwätz.

Die Alte war mittlerweile, weil das genug war, auf ihren Sessel zurückgesunken; der Rosenkranz baumelte von ihren Fingern.

»*Seht nach der Alten dort – ihr ist nicht wohl!*«

(Alle drängten sich um sie)

»*Tot, ihr Herren!*«

Sie fiel leblos zurück. Die Menge wich von ihr. Friede, laßt sie in Frieden scheiden! Sie, der alles eins ist nun, ob's Sommer, ob Winter.

Friede war das dritte Gefühl. Liebe. Haß. Und Friede. Drei Gefühle bildeten das Gefüge des Menschenlebens. Nun trat der Priester, dessen Wattebart seine Äußerungen undeutlich machte, vor und erteilte den Segen.

Vom Rocken des verworr'nen Lebenssträhns
Löst ihr die Hände sacht!
(Die Hände wurden ihr sacht gelöst)
An ihrer Seele Schwachheit und Fehle
Sei nicht mehr gedacht.
Rotkehlchen sing' und Dompfaff sie zur Ruh,
Wachtelschlag sei ihr Grabgeläut.
Die Leiche bedeckt und tragt sie fort
(Die Leiche wurde bedeckt und fortgetragen)
Und Rosen auf das Bahrtuch streut!
(Rosenblätter wurden aus Weidenkörben gestreut)
Euch aber, edles Paar, (er wandte sich den beiden glücklich Vereinten zu)
Des Himmels Gunst bewahr'
Vor jedem Kummer.
Und eh die neidische Sonne,
Verkürzend eure Wonne,
Den nächtigen Vorhang teilet,
Zum Brautgemache eilet,
Laßt Zephyrlüftchen wiegen euch in Schlummer!
Spielt auf zum Tanz!

Das Grammophon schmetterte. Herzöge, Priester, Schäfer, Pilger und Dienstmannen reichten einander die Hände und tanzten. Der Trottel hopste zwischen ihnen umher. Mit verschlungenen Händen, wackelnden Köpfen tanzten sie um die majestätische Gestalt des Elisabethanischen Zeitalters, personifiziert in Mrs. Clark, konzessionierter Tabakverschleißerin, auf ihrer Seifenkiste.

Es war ein Gemenge, ein Gedränge, ein (für William) bezauberndes Schauspiel von Lichtern und Schatten auf halbbekleideten, phantastisch bunten, zappelnden, zuckenden, schwingenden Beinen und Armen. Er klatschte, bis ihm die Handflächen brannten.

Auch Mrs. Manresa applaudierte laut. Irgendwie war sie die Königin; und er (Giles) war der sauertöpfische Held.

»Bravo! Bravo!« rief sie, und ihre Begeisterung bewirkte, daß der sauertöpfische Held sich auf seinem Sitz wand. Und die hochadelige Dame in dem Rollstuhl, die Dame, deren Heirat mit dem jetzigen Grundherrn in seinem pimperligen Adelstitel einen Namen hatte untergehn lassen, der ein Name gewesen war, als es nur Brombeer- und Heckenrosengestrüpp gab, wo jetzt die Kirche stand, – so ureinheimisch war sie, daß sogar ihr von Arthritis verkrüppelter Körper einem ungetümen nächtlichen Tier, einem nun schon fast ausgestorbenen, ähnelte, – klatschte und lachte laut: das jähe Lachen eines aufgescheuchten Hähers.

»Hahaha!« lachte sie und umklammerte die Lehnen ihres Rollstuhls mit unbehandschuhten knotigen Händen.

»Im Maien, im Maien«, grölten die auf der Bühne, *»ein und aus im Reihen, im Maien, im Maien ...«*

Es kam nicht auf die Worte an oder, wer sie sang. Rundum und rundum wirbelten sie, von der Musik berauscht. Dann hörte, auf ein Zeichen Miss La Trobes hinter ihrem Baum, der Tanz auf. Ein Zug bildete sich. Die große Eliza stieg von ihrer Seifenkiste. Die Röcke raffend, mit langen Schritten, umgeben von Herzögen und Prinzen, dahinter

Arm in Arm das Gefolge von Liebespaaren, umhüpft von Albert, dem Dorftrottel, und die Leiche auf einer Tragbahre den Zug beschließend, trat das Elisabethanische Zeitalter von der Bühne ab.

»Verflucht! Verdammt! Der Teufel hol' sie alle!« Miss La Trobe stieß sich in ihrer Wut die große Zehe an einer Wurzel. Da kam nun ihr Sturz: der Zwischenakt. Noch während sie dieses kunterbunte Zeug in ihrem Häuschen schrieb, hatte sie eingewilligt, das Stück hier zu unterbrechen. Eine Sklavin ihres Publikums – und damit Mrs. Sands nicht murre wegen des Tees, wegen des Abendessens, hatte sie in die Szenenfolge hier eine klaffende Wunde geschlagen. Eben als es ihr gelungen war, eine starke Gemütsbewegung zusammenzubrauen, mußte sie die auch schon verschütten. Also gab sie ein Zeichen: Phyllis! Und herbeigerufen, war Phyllis plötzlich wieder da, auf der Matte in der Mitte.

Edle und Simple, ich sag's euch frei, (piepste sie)
Der erste Teil ist nun vorbei,
Zu End' der Tag von Maid und Muhme,
Die Knospe erblühte, es welkte die Blume,
Doch bald folgt neuer Morgenschein.
Für uns, die ihre Kinder klein,
In ihrem Schoße hat die Zeit,
Ihr werdet sehn...
Ihr werdet sehn...

Ihre Stimme verlor sich. Niemand hörte zu. Mit gesenktem Kopf lasen sie alle ›Pause‹ auf dem Programm. Und Phyllis das Wort abschneidend, verkündete das Sprachrohr in unmißverständlichem Englisch: »Eine Pause!« Eine halbe

Stunde Pause für Tee und Kuchen. Dann schmetterte das Grammophon:

Gegen das Schicksal gewappnet,
Der wackere Roderich,
Mutig und mächtig,
Kühn und prächtig, usw., usw.

Auf das hin kam Bewegung ins Publikum. Einige standen rasch auf; andre bückten sich, griffen nach Spazierstöcken, Hüten, Handtäschchen. Und dann, als sie sich aufrichteten und umwendeten, änderte sich die Musik. Die Musik seufzte: *Zerstreut sind wir.* Sie stöhnte: *Zerstreut sind wir.* Sie klagte: *Zerstreut sind wir*, während sie alle wegströmten über den Rasen, das Gras mit Farben tupfend, und die Wege entlang: *Zerstreut sind wir.*

Mrs. Manresa nahm die Melodie auf. *Zerstreut sind wir.* »Frei und kühn und niemand fürchtend« (sie schob einen Liegestuhl aus dem Weg), »flotte Bursche, schmucke Dirnen« (sie warf einen Blick hinter sich; aber Giles hatte sich umgewendet), »folgt, o folgt, o folget mir... Ach, Mrs. Parker, wie nett, *Sie* hier zu sehen! Mich zieht's zum Tee.«

»*Zerstreut sind wir*« summend, folgte ihr Isabella. »Alles vorbei. Die Welle brandet, läßt uns gestrandet, hoch auf dem Trocknen. Einzeln, gesondert auf dem Sand. Zerrissen ist das dreifache Band... Nun folge ich, es hilft kein Suchen« (sie schob ihren Sessel zurück... Der Mann in Grau hatte sich dort bei der Steineiche in der Menge verloren), »dieser alten Trulle« (das galt der prallen, geblümten Gestalt Mrs. Manresas da vor ihr) »zu Tee und Kuchen.«

Dodge blieb unschlüssig zurück. »Soll ich«, murmelte er, »soll ich gehn, soll ich verweilen? Oder andern Wegs enteilen? Oder folgen den Zerstreuten, folgen, folgen in die Weiten?«

Zerstreut sind wir, wehklagte die Musik, *zerstreut sind wir*. Giles verharrte wie ein Pfahl in der Strömung der ebbenden Zuschauer.

»Folgen?« Er schob seinen Sessel mit dem Fuß zurück. »Wem? Wohin?« Er stieß mit seinem leichten Tennisschuh gegen das Holz. »Nirgendwohin. Irgendwohin.« Stockstill stand er.

Da erhob sich Cobbet vom Cobbswinkel, der allein unter der Schuppentanne, dem ›Affenblüfferbaum‹, saß, und murrte: »Was ihr wohl im Sinne lag? Was dahinter stecken mag? Was nur ließ sie sich entscheiden, solche altverstaubte Brocken in gefälschten Glanz zu kleiden und sie alle 'raufzulocken auf den Affenblüfferbaum?«

Zerstreut sind wir, wehklagte die Musik. *Zerstreut sind wir*. Er wandte sich um und schlenderte hinter der sich entfernenden Gesellschaft drein.

Nun holte Lucy ihr Handtäschchen unter dem Liegestuhl hervor und tschilpte ihrem Bruder zu:

»Bart, mein Lieber, komm mit mir... Erinnerst du dich an dieses Stück, das wir, als wir klein waren, im Kinderzimmer spielten?«

Er erinnerte sich. Indianer, das hatten sie gespielt; ein Schilfrohr und darin eine um einen Kiesel gewickelte Botschaft.

»Aber für uns, meine alte Cindy« – er griff seinen Hut vom Boden auf, »ist das Spiel vorbei.« Der Glast und die Grelle und das Trommeln des Tom-toms, meinte er. Er reichte ihr den Arm, und langsam gingen sie den andern nach. Mr. Page, der Reporter, notierte: ›Mrs. Swithin, Mr. B. Oliver‹, und wandte sich und fügte weiters hinzu: ›Lady Haslip auf Schloß Haslip‹, als er diese hochadelige alte Dame, von ihrem Bedienten im Rollstuhl gefahren, den Zug beschließen sah.

Unter den verabschiedenden Klängen des im Gebüsch versteckten Grammophons entfernte sich die Zuschauerschaft. *Zerstreut sind wir*, wehklagte es, *zerstreut sind wir.*

Nun trat Miss La Trobe aus ihrem Versteck hervor. Wie sie da alle fluteten und strömten, über das Gras, über den Kies, hielt sie sie noch für einen Augenblick zusammen – die sich zerstreuende Gemeinschaft. Hatte sie diese alle da nicht fünfundzwanzig Minuten lang sehen gemacht? Eine Vision mitzuteilen, war Erlösung von Seelenqual... einen Augenblick lang... einen einzigen. Dann verpuffte die Musik auf dem letzten Wort: *wir.* Sie hörte den leisen Wind in den Zweigen säuseln. Sie sah Giles Oliver, den Rücken der Zuschauerschaft zugekehrt. Ebenso Cobbet vom Cobbswinkel. Nein, es war ihr nicht gelungen, sie sehen zu machen. Es war ein Mißerfolg, war wieder ein verdammter Mißerfolg! Wie gewöhnlich. Ihre Vision entfloh ihr. Und sich abwendend, ging sie zu den Schauspielern, die sich umkleideten unten in der Mulde, wo die Schmetterlinge sich an Schwertern von Silberpapier gütlich taten und die Geschirrtücher im Schatten gelbe Tümpel bildeten.

Cobbet hatte seine Uhr hervorgezogen. Drei Stunden bis sieben, dachte er; dann die Pflanzen gießen. Er ging weiter.

Auch Giles, nachdem er seinen Liegestuhl in die Kerben zurückgeklappt hatte, ging – in die andre Richtung. Er schlug den Abkürzungsweg durch die Wiesen zu der Scheune ein. In diesem trockenen Sommer war der Fußpfad hart wie Ziegel und voller Steine. Er stieß einen mit dem Fuß – einen flintartigen, gelblichen; der war scharfkantig, als hätte ein Wilder ihn zu einer Pfeilspitze behauen. Ein barbarischer Stein; ein prähistorischer. Steine mit dem Fuß vor sich herzustoßen, war ein von Kindern gespieltes Spiel. Er erinnerte sich der Regeln. Nach diesen mußte ein Stein, derselbe Stein, bis zum Ziel gestoßen werden, etwa einem Gartentürchen oder einem Baum. Er spielte es jetzt allein. Das Gartentürchen war ein Ziel; mußte mit zehn Stößen erreicht werden. Der erste Stoß galt dieser Manresa (Wollust). Der zweite Dodge (Perversion). Der dritte ihm selbst (Feigheit); und der vierte und der fünfte und alle übrigen ebenso.

Er gelangte mit zehn hin. Da, ins Gras gebettet, zu einem olivgrünen Ring gewunden, lag eine Schlange. Tot? Nein, halb erstickt an einer Kröte in ihrem Maul. Die Schlange vermochte nicht zu schlucken; die Kröte vermochte nicht zu sterben. Ein Krampf ließ die Rippen sich zusammenziehen; Blut quoll hervor. Es war eine umgekehrte Geburt – eine monströse Inversion. Darum hob er den Fuß und stampfte auf beide. Die Masse zerquetschte sich knackend und glitschte. Die weiße Leinwand seiner Tennisschuhe war blutbespritzt und klebrig. Aber es war etwas getan worden. Etwas getan zu haben, erleichterte ihn. Mit Blut an seinen Schuhen schritt er der Scheune zu.

Die Scheune, dieser edle Bau, der vor mehr als siebenhundert Jahren errichtet worden war und manche Leute an einen griechischen Tempel gemahnte, andre ans Mittelalter, die meisten an eine Zeit vor der ihren, kaum irgend jemand an den gegenwärtigen Augenblick, war leer.

Die großen Torflügel standen offen. Ein dicker Balken von Licht gleich einem gelben Banner reichte schräg vom Dach zur Tenne. Girlanden aus Papierrosen, von der Krönungsfeier übriggeblieben, hingen von den Sparren. Ein langer Tisch, darauf ein großer Teekessel, Teller und Tassen, Kuchen und Butterbrote, stand quer über das eine Ende. Kein Mensch war in der Scheune. Mäuse schlüpften in Löchern ein und aus oder saßen aufrecht und knabberten. Schwalben waren im Dachgebälk mit Strohhalmen an Lehmbalkonen beschäftigt. Zahllose Käfer und Insekten verschiedenster Art bohrten Gänge in dem trockenen Holz. Eine herrenlose Hündin hatte den dunkeln Winkel, wo die Säcke standen, zu einem Wochenbett für sich und ihre Jungen gemacht. Alle diese Augen, diese sich erweiternden oder verengenden, einige fürs Licht, andre fürs Dunkel geschaffen, lugten von verschiedenen Ecken und Kanten her. Winziges Geknabber und Geraschel unterbrachen die Stille. Rüchlein von Süße und Würze äderten die Luft. Eine blaue Brummfliege hatte sich auf dem Kuchen niedergelassen und stach mit ihrem kurzen Bohrer in dessen gelbes Gestein. Ein Schmetterling sonnte sich genießerisch auf einem von der Sonne beleuchteten gelben Teller.

Aber Mrs. Sands war im Anmarsch. Sie bahnte sich ihren Weg durch die Menge. Sie war schon um die Ecke. Sie konnte jetzt das große, offene Scheunentor sehen. Doch Schmetterlinge, die sah sie nie; Mäuse waren nur schwarze Kügelchen in Küchenschubladen; Nachtfalter umschloß sie mit den Händen und tat sie aus dem Fenster. Tölen ließen sie nur an Dienstmädchen, die sich schlecht aufführten, denken. Wäre eine Katze dagewesen, die hätte sie gesehen – jede

Katze, gar eine halb verhungerte mit einem Fleck von Räude auf dem Rücken, öffnete die Schleusen ihres kinderlosen Herzens. Aber es war keine Katze da. Die Scheune war leer. Und so, laufend, keuchend und nur danach trachtend, hinein und an ihren Platz hinter dem Teekessel zu gelangen, bevor sie alle kämen, erreichte sie die Scheune. Und der Schmetterling flog auf und auch die Brummfliege.

In einem hastenden Häuflein folgten ihr die Dienerschaft und die Helfer – David, John, Irene, Lois. Wasser kochte. Dampf stieg auf. Kuchen wurde in Scheiben geschnitten. Schwalben schwuppten von Sparren zu Sparren. Und schon kam die Festgesellschaft herein.

»Diese prächtige alte Scheune...« sagte Mrs. Manresa und blieb im Tor stehn. Es schickte sich nicht für sie, sich vor den Dörflern hinzuzudrängen. Ihr ziemte es, von der Schönheit der Scheune ergriffen, stillzustehn; beiseitezutreten; zu schauen; andre Leute zuerst drankommen zu lassen.

»Wir haben auch eine, eine ganz ähnliche, bei uns in Lathom«, sagte Mrs. Parker und blieb aus denselben Gründen stehn. »Eine«, fügte sie hinzu, »vielleicht nicht ganz so große.«

Die Dörfler standen unschlüssig. Dann, zögernd, tröpfelten sie an den beiden vorbei.

»Und die Ausschmückung...« sagte Mrs. Manresa und blickte nach jemand umher, den sie beglückwünschen könnte. Lächelnd und wartend stand sie da. Dann kam die alte Mrs. Swithin herein. Auch sie blickte in die Höhe, aber nicht auf die Ausschmückung. Auf die Schwalben offenbar.

»Sie kommen jedes Jahr«, sagte sie, »dieselben Vögel.« Mrs. Manresa lächelte nachsichtig, auf die schrullige Einbildung der alten Dame eingehend. Es war unwahrscheinlich, daß es dieselben Vögel waren.

»Die Dekorationen sind vermutlich noch von der Krönungsfeier übriggeblieben«, sagte Mrs. Parker. »Auch wir bewahren unsre auf. Wir haben eine Versammlungshalle gebaut.«

Mrs. Manresa lachte. Sie erinnerte sich. Ein Geschichtchen lag ihr auf der Zunge, von einer öffentlichen Bedürfnisanstalt, die zur Feier desselben Ereignisses gebaut worden war, und wie der Bürgermeister... Konnte sie das erzählen? Nein. Die alte Dame, die zu den Schwalben hinaufschaute, sah zu fein aus. ›Zu foin‹ – Mrs. Manresa tönte das Wort zu ihrem eignen Vorteil und bestätigte sich auf diese Weise, daß sie das wilde Naturkind, das sie war, billigte, dessen Wesen ›eben Menschennatur‹ war. Irgendwie vermochte sie sowohl die ›Verfoinerung‹ der alten Dame als auch jungenhaften Spaß zu umspannen – Wo war nur dieser nette Mensch, dieser Giles? Sie konnte ihn nirgends sehen; auch Bill nicht. Und die Dörfler zögerten noch immer. Sie brauchten jemand, der den Anfang machte.

»Also ich verschmachte nach einer Tasse Tee!« sagte sie in ihrem für die Öffentlichkeit bestimmten Ton; und schritt entschlossen vorwärts. Sie bemächtigte sich eines Henkelbechers aus dickem Porzellan. Mrs. Sands, selbstverständlich einer von der Gentry den Vorrang gebend, füllte ihn sogleich. David reichte Mrs. Manresa Kuchen. Sie war die erste, die trank, die einen Bissen tat. Noch immer wagten die Dörfler sich nicht heran. ›Sie ist lauter Blimmelblammel, die Demokratie‹, schloß sie daraus. Das fand auch Mrs. Parker, die gleichfalls einen Henkelbecher ergriffen hatte. Die

Leute blickten auf sie, auf sie beide. Sie führten; die übrigen folgten.

»Was für köstlicher Tee!« rief eine jede aus, so abscheulich er auch schmeckte: wie in Wasser gekochter Rost; und der Kuchen war voller Fliegenpünktchen. Aber sie hatten eine Pflicht gegenüber der menschlichen Gesellschaft.

»Sie kommen jedes Jahr«, sagte Mrs. Swithin, ohne zu merken, daß sie zur leeren Luft sprach. »Aus Afrika.« Wie sie auch gekommen waren, so vermutete sie, als die Scheune noch ein Sumpf war.

Die Scheune füllte sich. Kleine Dampfschwaden stiegen auf. Porzellan klapperte; Stimmen plapperten. Isa drängte sich zu dem Tisch durch.

»Zerstreut sind wir«, murmelte sie. Und hielt ihre Tasse hin, um sie füllen zu lassen. Dann nahm sie sie. »Ich mag nicht warten«, murmelte sie, sich wegwendend, »unter diesem Aufgebot« – sie blickte verloren um sich – »von Porzellangesichtern, glasierten und harten, sondern den Waldpfad entlangwandern unter Haseln und Weißdorn, bis ich zu dem Wunschbrünnlein komme, in das der Wäscherin kleiner Sohn –« sie ließ Zucker, zwei Würfel, in ihren Tee fallen, »eine Stecknadel fallen ließ. Er bekam sein Pferdchen, so heißt es. Aber welchen Wunsch soll *ich* in das Brünnlein fallen lassen?« Sie sah umher. Sie konnte den Mann in Grau nirgends erblicken, den Herrenfarmer; noch sonst jemand, den sie kannte. »Daß das Wasser mich bedecke«, fügte sie hinzu, »das Wasser des Wunschbrünnleins!«

Lärm von Porzellangeschirr und Stimmengewirr ließ ihr Gemurmel untergehn. »Nehmen Sie Zucker?« wurde gefragt. »Grade nur einen Tropfen Milch? Und Sie?« »Ohne

Milch und ohne Zucker; so trink' ich ihn am liebsten.« »Ein bißchen zu stark? Lassen Sie mich etwas Wasser zugießen!«

›Das ist's, was ich mir wünschte‹, fügte Isa im stillen hinzu, ›als ich meine Stecknadel hineinfallen ließ: Wasser. Wasser...‹

»Ich muß sagen«, war die Stimme hinter ihr zu vernehmen, »es ist mutig vom König und der Königin. Es heißt, sie werden Indien besuchen. Sie sieht so lieb aus. Jemand, den ich kenne, sagte, sein Haar...«

›Dorthin‹, sann Isa, ›fiele das tote Blatt, wenn die Blätter fallen – aufs Wasser. Tät' es mir leid, nie wieder Weißdornblüten und Haselkätzchen zu sehen? Nie wieder auf schwankem Zweig die Drossel singen zu hören oder auf und ab, als striche er über Wellen der Luft, den gelben Specht fliegen zu sehen?‹

Sie hatte den Blick auf die kanariengelben Girlanden gerichtet, die von der Krönung übrig waren.

»Ich dachte, es hieß nach Kanada, nicht nach Indien«, sagte eine andere Stimme hinter ihr. Worauf die erste Stimme antwortete: »Glauben Sie, was in den Zeitungen steht? Zum Beispiel über den Herzog von Windsor. Er landete an der Südküste. Königin Mary traf mit ihm zusammen. Sie hatte schon Möbel gekauft – das ist Tatsache. Und die Zeitungen behaupten, sie traf ihn...«

»Allein unter einem Baum, dem dürren Baum, der den ganzen Tag vom Meere murmelt wie im Traum und den Reiter galoppieren hört...« ergänzte Isa den Satz. Dann schrak sie auf. William Dodge stand neben ihr.

Er lächelte. Sie lächelte. Sie waren Verschworene; ein jedes murmelte ein Lied, das mein Onkel mich gelehrt.

»Es ist dieses Stück, dieses Festspiel«, sagte sie. »Das geht mir im Kopf herum.«

»Gegrüßt sei, holde Carinthia. Mein Lieb, mein Leben«, zitierte er.

»Mein Lord, mein Lehensherr.« Sie knickste ironisch.

Sie war hübsch, fast schön. Er hätte sie gern nicht vor dem Teekessel, sondern mit ihren glasgrünen Augen, ihrer molligen Gestalt, dem Hals, der einer Säule glich, vor einer Aaronslilie oder einer Weinrebe gesehen. Er wünschte sich, sie würde sagen: ›Kommen Sie mit mir! Ich will Ihnen das Glashaus zeigen, den Schweinekoben oder den Pferdestall.‹ Aber sie sagte nichts, und sie standen hier, hielten ihre Teetassen in der Hand und dachten noch an das Stück. Dann sah er ihr Gesicht sich verändern, als wäre sie aus einem Kleid heraus in ein andres geschlüpft. Ein kleiner Junge erkämpfte sich einen Durchgang durch die Menge, schlug gegen Frauenröcke und Männerhosen, als schwämme er blindlings drauflos.

»Hier!« rief sie und hob den Arm.

Er kam schnurgerade auf sie zu. Offenbar ihr kleiner Junge, ihr Sohn, ihr George. Sie gab ihm Kuchen; und einen Becher Milch. Dann kam die Kinderfrau herbei. Und dann wechselte sie abermals ihr Kleid. Diesmal war es, nach dem Ausdruck ihrer Augen zu urteilen, offenbar etwas wie eine zu enge Weste. Der junge Mann, stattlich, stark behaart, viril, in blauer Jacke mit Messingknöpfen, der dort in einem Strahl staubigen Lichts stand, war ihr Mann. Und sie war seine Frau. Ihre Beziehungen – er hatte das beim Mittagessen gemerkt – waren, wie Leute in Romanen sagten, ›gespannt‹. Während der Aufführung hatte er bemerkt, daß sie sich nervös, mit gehobenem bloßem Unterarm an die Schulter griff, wenn sie sich umblickte – nach wem? Aber hier war er; und das Muskulöse, das Behaarte, das Männliche stürzten Dodge in Gefühle, an denen der Geist keinen Anteil hatte. Er vergaß, wie sie vor Weinlaub in einem Glashaus ausgesehen hätte. Nur auf Giles schaute er; und schaute und schaute. An wen dachte der, wie er so mit abgewendetem Gesicht dastand? Nicht an Isa. An Mrs. Manresa?

Mrs. Manresa, ein Stück weit in der Scheune drin, hatte ihren Tee in großen Schlucken getrunken. Wie könnte sie, fragte sie sich, Mrs. Parker loswerden? Wenn sie ihrer eignen Klasse angehörten, wie sie sie da langweilten – ihre Geschlechtsgenossinnen! Nicht die Klasse unter ihr – Köchinnen, Frauen von Ladenbesitzern oder Landwirten; auch nicht die Klasse über ihr – Adelige, Gräfinnen; es waren die Frauen ihrer eignen Klasse, die sie langweilten. Darum ließ sie Mrs. Parker plötzlich stehn.

»Oh, Mrs. Moore!« rief sie die Frau des Wildhegers an. »Wie hat's Ihnen gefallen? Und wie hat's der Kleinen gefallen?« Dabei kniff sie das Armkind liebkosend in die Wange. »Es war in allem und jedem so gut wie nur irgendwas, das ich in London gesehen hab'... Aber wir dürfen uns nicht übertreffen lassen. Wir werden selber ein Stück aufführen. In *unsrer* Scheune. Wir werden denen hier zeigen« (sie blinzelte schräg zu dem Tisch hin: so viele fertig gekaufte Kuchen, so wenige daheim gebackene!), »wie *wir* so was machen.«

Dann wandte sie sich, noch während sie so scherzte, um; sah Giles; erhaschte seinen Blick; und holte ihn mit einem

Wink heran. Er kam. Aber was – sie blickte hinunter – hatte er nur mit seinen Schuhen angestellt? Sie waren blutbefleckt. Undeutlich schmeichelte ihr eine Empfindung, er habe seine Tapferkeit um ihrer Bewunderung willen bewährt. Wenn auch undeutlich, war diese Empfindung doch süß. Ihn ins Schlepptau nehmend, fühlte sie: Ich bin die Königin, er mein Held, mein mürrischer Held.

»Das ist ja Mrs. Neale!« rief sie aus. »Ein wahres Wunder von einer Frau. Sind Sie das nicht, Mrs. Neale? Sie leitet unser Postamt, die gute Mrs. Neale. Und wie sie im Kopf rechnen kann, nicht wahr, Mrs. Neale? Fünfundzwanzig Briefmarken zu einem halben Penny, zwei Päckchen Kuverts mit eingeprägter Marke und ein Päckchen Postkarten – wieviel macht das alles zusammen, Mrs. Neale?«

Mrs. Neale lachte; Mrs. Manresa lachte; auch Giles lächelte und blickte auf seine Schuhe hinunter.

Sie zog ihn mit sich in die Scheune und darin umher, von einem zum andern. Sie kannte sie alle. Wie sie da waren, alle ganz famose Leute. Nein, sie wollte es nicht wahrhaben, auch nicht für einen Augenblick, – Pinsents schlimmes Bein. »Nein, nein. Das lassen wir nicht als Entschuldigung gelten, Pinsent!« Wenn er nicht laufen und den Ball werfen könne, könne er doch den Schläger handhaben. Giles war derselben Meinung. Ein Fisch an der Angel bedeutete ihm und Pinsent gleich viel. Auch ein Häher oder eine Elster. Pinsent blieb auf dem Land; Giles fuhr in ein Bureau in die Stadt. Das war der ganze Unterschied. Und sie war wirklich ein ganz famoser Kerl, daß sie ihn sich weniger wie ein Zuschauer und mehr wie ein Schauspieler fühlen ließ, während er so in ihrem Kielwasser die Runde in der Scheune machte.

An dem Ende beim Tor stießen sie dann auf das alte Geschwisterpaar, Lucy und Bartholomew, die da auf zwei Windsorstühlen saßen.

Für die beiden waren Stühle reserviert worden. Mrs. Sands hatte ihnen Tee hinbringen lassen. Es hätte mehr Mühe, als es wert war, verursacht, das demokratische Prinzip durchzusetzen: inmitten des Gedrängs an dem Tisch zu stehn.

»Schwalben«, sagte Lucy, die Teetasse in der Hand, zu den Vögeln aufblickend. In Aufregung versetzt durch die Menschenmenge, flitzten die von einem Sparren zum andern. Über Afrika, über Frankreich her waren sie gekommen, um hier zu nisten; Jahr auf Jahr kamen sie. Schon bevor es den Ärmelkanal gab, als die Erde, auf die der Windsorstuhl gepflanzt stand, ein Rummel von Rhododendren war und Kolibris vor den Trichtern scharlachroter Trompeten schwirrten, wie sie an diesem Morgen in ihrem *Umriß der Weltgeschichte* gelesen hatte, waren sie gekommen ... Da stand Bart von seinem Stuhl auf.

Aber Mrs. Manresa weigerte sich unbedingt, seinen Platz einzunehmen. »Bleiben Sie doch sitzen, bleiben Sie sitzen!« Und sie drückte ihn wieder nieder. »Ich kann auf dem Boden hocken.« Sie hockte. Der mürrische Ritter blieb dienstbereit an ihrer Seite stehn.

»Und wie fanden Sie das Stück?« fragte sie.

Bartholomew sah seinen Sohn an. Sein Sohn schwieg.

»Und Sie, Mrs. Swithin?« drängte Mrs. Manresa die alte Dame.

Lucy mümmelte etwas, während sie weiter zu den Schwalben aufblickte.

»Ich hoffte, Sie würden's mir erklären«, sagte Mrs. Manresa. »War es ein altes Stück? Oder ein neues?«

Niemand antwortete.

»Schaut doch!« rief Lucy aus.

»Die Schwalben?« fragte Mrs. Manresa hinaufblickend.

Dort war eine Schwalbe mit einem Strohhalm im Schnabel; und der Strohhalm entfiel ihr.

Lucy klatschte in die Hände. Giles wandte sich ab. Sie verspottete ihn wie gewöhnlich, lachte ihn aus.

»Gehn wir?« fragte Bartholomew. »Ist's Zeit für den nächsten Akt?«

Und er hievte sich von seinem Stuhl hoch. Ohne Rücksicht auf Mrs. Manresa und auf Lucy trollte er sich.

»Schwalbe, o Schwalbe, o Schwesterchen Schwalbe«, murmelte er und tastete nach seinem Zigarrenetui, während er seinem Sohn folgte.

Mrs. Manresa war ein bißchen verärgert. Wozu hatte sie sich denn nun hier so unbequem hingehockt? Verblaßten ihre Reize schon? Beide waren sie weggegangen. Aber sie, eine Frau der Tat, im Stich gelassen vom männlichen Geschlecht, sie hatte nicht die Absicht, sich mit Langweile foltern zu lassen von dieser foinen alten Dame. Sie rappelte sich hoch, griff mit den Händen an ihr Haar, als wäre es höchste Zeit, daß auch sie gehe, obwohl es nichts dergleichen war und ihr Haar tadellos saß. Cobbet in seinem Winkel durchschaute ihr Spielchen. Er hatte die menschliche Natur im Osten kennengelernt. Sie war die gleiche im Westen. Pflanzen, *die* blieben – Nelken, Zinnien, Geranien. Automatisch befragte er seine Uhr; merkte sich die Zeit bis zum Begießen um sieben. Und beobachtete das Spielchen der Frau, wie sie dem Mann zu dem Tisch folgte, im Westen wie im Osten.

William, der sich dort vor dem Tisch nun an Mrs. Parker und Isa angeschlossen hatte, sah ihm zu, wie er herankam. Mutig und mächtig, kühn und prächtig – die populäre Marschmelodie tönte ihm im Kopf. Und die Finger seiner linken Hand schlossen sich fest, verstohlen, als der Held sich nahte.

Mrs. Parker drückte Isa mit gedämpfter Stimme ihr Bedauern über das Auftreten des Dorftrottels aus.

»Oh, dieser Idiot!« sagte sie. Aber Isa stand unbeweglich und beobachtete ihren Mann. Sie konnte diese Manresa hinter ihm her spüren. Sie konnte in dem dämmerigen Dunkel ihres gemeinsamen Schlafzimmers die übliche Erklärung hören. Sie mache nichts aus, seine Untreue – ihre hingegen ja.

»Der Idiot?« erwiderte William an ihrer statt Mrs. Parker. »Er ist ganz traditionsgemäß.«

»Aber sicherlich«, sagte Mrs. Parker und erzählte Giles, was für ein gruseliges Gefühl der Idiot – »Wir haben einen auch in *unserm* Dorf« – ihr verursacht habe, »sicherlich, Mr. Oliver, sind wir heutzutage doch zivilisierter?«

»*Wir?*« sagte Giles. »*Wir?*« Er warf einen Blick auf William. Er wußte nicht, was sein Name war, aber was seine linke Hand soeben tat. Es war ein kleiner Glücksfall – daß er ihn, nicht sich selbst verachten konnte. Und auch Mrs. Parker. Aber nicht Isa – nicht seine Frau. Sie hatte nicht zu ihm gesprochen, kein einziges Wort. Und ihn auch nicht angesehen.

»Sicherlich«, sagte Mrs. Parker und blickte von einem zum andern, »sicherlich sind wir das doch?«

Giles tat dann, was Isa seinen kleinen Trick nannte: schloß die Lippen; runzelte die Stirn; und nahm die Pose eines Mannes an, der die Last alles Wehs der Welt trug, indem er Geld verdiente, damit sie es ausgeben konnte.

›Nein‹, sagte Isas Blick so deutlich, wie sonst nur Worte es sagen konnten, ›ich bewundere dich nicht.‹ Und sah nicht sein Gesicht an, sondern seine Füße. ›Dummer kleiner Bub mit Blut auf seinen Schuhen!‹

Giles trat von einem Fuß auf den andern. Wen also bewunderte sie? Nicht Dodge. Das konnte er mit Sicherheit annehmen. Wen sonst? Irgendeinen Mann, den er kannte. Irgendeinen Mann, er war überzeugt davon, hier in der Scheune. Welchen? Er sah umher.

Da tauchte Mr. Streatfield auf, der Pfarrer. Er trug Teetassen.

»So muß ich denn Hände schütteln mit meinem Herzen!« rief er aus, nickte mit dem stattlichen, angegrauten Haupt und stellte seine Last heil ab.

Mrs. Parker nahm den Tribut für sich in Anspruch.

»Mr. Streatfield!« rief sie aus. »Und er macht die ganze Arbeit. Während wir hier stehn und schwatzen!«

»Hätten Sie Lust, sich das Gewächshaus anzusehen?« fragte Isa plötzlich, sich an William Dodge wendend.

›Oh, nicht jetzt!‹ hätte er am liebsten ausgerufen. Mußte aber mit ihr gehn und Giles der herannahenden Manresa überlassen, die ihn in ihrem Bann hielt.

Der Gartenweg war schmal. Isa ging voran. Und sie war breit; sie füllte den Weg fast aus, ein wenig so sich im Gehn wiegend und hier und da ein Blatt von der Hecke zupfend.

»Flieh denn, folge nur«, summte sie, »des gefleckten Rudels Spur in den Zedernhain, wo mit der Hindin der Hirsch, mit der Ricke der Rehbock spielt. Flieh hinweg, ich bleibe gramvoll allein. Hier verweil' ich, voll Trauer, pflück' das bittere Kraut an der Kirchhofsmauer und zerreibe matt sein herbes Blatt so zwischen Daum' und Finger...«

Sie warf das Stückchen Waldrebe weg, das sie im Vorbeigehn gepflückt hatte, und stieß mit dem Fuß die Glashaustür auf. Dodge kam ihr langsam nach. Sie wartete. Sie griff ein Messer von einem Brett auf. Er sah sie so stehn, gegen das grüne Glas, den Feigenbaum und die blaue Hortensie, das Messer in der Hand.

»Also sprach sie«, murmelte Isa, »zog des Dolches blanke Klinge aus des Busens schneeiger Schneise. ›Klinge, triff!‹ Und sie stieß zu. ›Treulos‹, rief sie, ›Dolch, auch du?‹ Denn er brach. Und auch ihr Herz.«

Sie lächelte ironisch, als er heran war.

»Ich wollte, dieses Stück ginge mir nicht im Kopf herum«, sagte sie. Dann setzte sie sich auf ein Brett unter der großen Weinrebe, und er setzte sich neben sie. Die kleinen Trauben über ihnen waren grüne Knospen; die Blätter dünn und gelblich wie die Schwimmhäute zwischen Vogelzehen.

»Noch immer das Stück?« fragte er. Sie nickte. »War das Ihr Sohn«, fragte er, »dort in der Scheune?«

Sie habe auch eine Tochter, sagte sie ihm; noch in der Wiege.

»Und Sie – verheiratet?« fragte sie. An ihrem Ton erkannte er, daß sie, wie Frauen immer, alles erriet. Sie wußten sogleich, daß sie nichts zu fürchten, nichts zu hoffen hatten. Anfänglich nahmen sie es übel – als Statuen zu dienen in einem Glashaus. Dann gefiel es ihnen. Denn dann konnten sie – wie sie das tat – sagen, was immer ihnen in den Sinn kam. Und sie konnten ihm, wie sie das tat, eine Blume überreichen.

»Da haben Sie etwas für Ihr Knopfloch, Mister …« sagte sie und überreichte ihm ein Zweiglein wohlriechenden Geraniums.

»Ich heiße William«, sagte er, nahm das pelzige Blatt und rieb es zwischen Daumen und Zeigefinger.

»Und ich Isa«, erwiderte sie. Dann sprachen sie miteinander, als hätten sie einander ihr ganzes Leben lang gekannt; und das sei verwunderlich, sagte sie, wie Frauen das immer sagten, verwunderlich, wenn man bedenke, daß sie ihn erst vielleicht eine Stunde lang kenne. Seien sie denn nicht Verschworene, Sucher nach verborgenen Gesichtern? Das einmal eingestanden, hielt sie inne und wunderte sich, wie Frauen das immer taten, wieso sie so unumwunden miteinander sprechen konnten. Und fügte hinzu: »Vielleicht weil wir einander nie zuvor begegnet sind und nie wieder begegnen werden.«

»Das Verhängnis jähen Todes hängt über uns«, sagte er. »Es gibt kein Vor und kein Zurück« – er dachte an die alte Dame und wie sie ihm das Haus gezeigt hatte, – »weder für uns noch für die andern.«

Die Zukunft warf ihren Schatten auf ihrer beider Gegenwart, wie die Sonne, die durch das vieläderige, fast durchsichtige Weinblatt kam; ein Kreuz und Quer von Linien, die kein Muster bildeten.

Sie hatte die Glashaustür offengelassen, und nun kam Musik durch sie herein. A.B.C., A.B.C. – jemand übte Tonleitern. A.B.C., A.B.C., A.B.C.... Dann bildeten die einzelnen Buchstaben ein Wort. Andre Wörter folgten. Es war eine einfache Melodie wie ein Kinderliedchen –

> Der König sitzt in seinem Comptoir
> Und zählt dort seine Schätze,
> Die Königin in ihrem Boudoir
> Zur Milch ißt Honigplätze.

Sie lauschten. Eine andre Stimme, eine dritte Stimme, sagte etwas Einfaches. Und sie saßen weiter in dem Glashaus auf dem Brett, die Weinrebe über sich, und hörten Miss La Trobe oder, wer immer es war, Tonleitern üben.

Er konnte seinen Sohn nicht finden. In der Menge hatte er ihn aus den Augen verloren. Also verließ der alte Bartholomew die Scheune, zündete sich eine Birmazigarre an und ging ins Haus, in sein Zimmer und murmelte dabei:

> »Schwalbe, o Schwalbe, o Schwesterchen Schwalbe,
> Wie kann dein Herz vom Frühling erfüllt sein?«

»Wie kann mein Herz vom Frühling erfüllt sein?« sagte er laut, als er vor dem Bücherschrank stand. Bücher: das gehortete Lebensblut unsterblicher Geister. Dichter: die Gesetzgeber der Menschheit. Zweifellos, das waren sie. Aber Giles war nicht glücklich. »Wie kann mein Herz, wie kann mein Herz...« wiederholte er, seine Zigarre paffend. »Verdammt, in des Lebens höllischen Schachten, verdammt, in Einsamkeit zu schmachten...« Die Arme in die Hüften gestemmt, stand er vor seiner Bibliothek eines auf dem Land lebenden Gentlemans. Garibaldi; Wellington; Berichte des Bewässerungsamts; und Hibberts Werk über die Pferdekrankheiten. Der Geist hatte eine große Ernte eingebracht; aber verglichen damit, was ihm sein Sohn bedeutete, konnte sie ihm gestohlen werden.

»Was hilft's, was hilft's« – er sank brummelnd in seinen Lehnstuhl – »Schwalbe, o Schwalbe, o Schwesterchen Schwalbe, zu singen dein Lied?« Der Hund, der ihm gefolgt war, ließ sich ihm zu Füßen auf den Boden fallen. Mit den sich ein- und auswölbenden Flanken, die lange Nase auf die Pfoten gestreckt, ein Schaumflöckchen auf den Nüstern, so lag er da, sein Familiar, sein dienstbarer Geist, sein Afghanerhund.

Die Tür bewegte sich und öffnete sich halb. Das war Lucys Art hereinzukommen – als wäre sie ungewiß, was sie vorfände. Wahrhaftig! Es war ihr Bruder! Und sein Hund! Sie schien sie zum erstenmal zu sehen. Kam das daher, daß sie keine Substanz hatte? Immer in den Wolken, wie ein luftgefüllter Ball, berührte ihr Geist dann und wann mit einem Schock der Überraschung festen Boden. In ihr war nichts, was einen Menschen wie Giles zur Erde wuchtete.

Sie hockte auf der Kante eines Sessels wie ein Vogel auf einem Telegraphendraht, bevor er nach Afrika davonfliegt.

»Schwalbe, o Schwalbe, o Schwesterchen Schwalbe ...« murmelte er.

Aus dem Garten – das Fenster stand offen – kamen Klänge, als übte jemand Tonleitern. A.B.C., A.B.C., A.B.C. Dann bildeten die einzelnen Buchstaben ein Wort. Dann einen Satz. Es war eine einfache Melodie, eine andre Stimme, die sprach.

»Horch, hörst du's gellen? Die Hunde bellen,
Die Bettler, sie kommen zur Stadt ...«

Dann begann sie zu schmachten und sich zu dehnen und wurde ein Walzer. Während sie – in den Garten hinaus – lauschten und lugten, schienen die schwankenden Bäume, die schwirrenden Vögel aus ihrem Eigenleben und von ihren gesonderten Beschäftigungen abberufen und zur Teilnahme gezwungen zu werden.

Die Lampe der Liebe brennt hoch über dem
nächtigen Hain,
Die Lampe der Liebe scheint klar, klar wie ein
Stern und so helle ...

Der alte Bartholomew tappte im Takt dazu mit dem Finger auf sein Knie.

Komm in den Garten zu mir, Liebste, der
ewig ich dein!

Er sah sardonisch lächelnd Lucy an, die da auf ihrem Sessel hockte. Wie nur, das fragte er sich, hatte sie je Kinder geboren?

Wo alle sich wippen im Tanz hier und wippen,
Der Falter und die Libelle ...

Sie dachte wohl, nahm er an, Gott sei der Friede, Gott sei die Liebe. Denn sie gehörte zu den Unifizierern; er zu den Separierern.

Dann wurde die Melodie, die Füße immer auf derselben Stelle, zuckerig, fade; bohrte ein Loch mit ihrem unaufhörlichen Aufruf zu unaufhörlicher Anbetung. War sie vielleicht – er kannte sich nicht aus mit musikalischen Fachausdrücken – in die Molltonart übergegangen?

Denn es ist dieser Tag, dieser Tanz, dieser
wonnigliche Mai,
Wenn im Klee die Sicheln klippen,
Schon vorbei, schon vorbei (er tappte mit dem
Zeigefinger auf sein Knie),
Und dies Schwippen und dies Wippen (die Schwalben
schienen über ihre Kreise
hinausgeschossen zu sein)
Auch vorbei, vorbei, vorbei,
Und mit Eis und Schnee dahinter, ist der Winter,
Oh, der Winter nicht mehr weit
Und läßt auf dem Herd nur Asche,
Keine Glut, nein, keine Glut mehr in dem Scheit.

Er klopfte die Asche von seiner Zigarre und stand auf.

»Das müssen wir«, sagte Lucy; als hätte er laut gesagt: ›Es ist Zeit, wir müssen gehn.‹

Die Zuschauer versammelten sich wieder. Die Musik rief sie herbei. Die Wege entlang, über die Rasenflächen strömten sie zurück. Hier kam Mrs. Manresa, mit Giles ihr zur Seite, an der Spitze des Zugs. In straffen, schwellenden Rundungen blähte sich ihr Schal um ihre Schultern. Der leichte Wind wurde stärker. Sie glich, wie sie so zu den Klängen des Grammophons über den Rasen schritt, einer Göttin, einer heiteren, gebefreudigen, mit überquellendem Füllhorn. Bartholomew, der hinter ihr ging, segnete das Vermögen des menschlichen Körpers, die Erde fruchtbar zu machen. Giles würde auf seiner Umlaufbahn bleiben, solange sie ihn zur Erde wuchtete. Sie brachte sogar den Tümpel seines eignen alten Herzens in Bewegung – wo Knochen vergraben lagen, aber Libellen flitzten und Gras bebte, als Mrs. Manresa zu den Klängen des Grammophons über den Rasen schritt.

Füße machten den Kies knirschen. Stimmen schwatzten. Die innere, die andre Stimme, sagte: Wie können wir leugnen, daß diese prächtige Musik, die aus dem Gebüsch hertönt, Ausdruck einer inneren Harmonie ist? ›Wenn wir wach sind‹ (dachten manche), ›zerbricht uns der Tag mit seinen harten Hammerschlägen.‹ – ›Der Beruf‹ (dachten manche) ›erzwingt Unvereinbares. Bedrängt, zersprengt, hierhin, dorthin von der Klingel Schall. ‚Klingelingeling' – das ist das Telephon. ‚Vorwärts!' – ‚Bedienung!' – das ist die Ladenglocke.‹ Also hören wir auf den höllischen, uralten und ewigen, von oben erteilten Befehl. Und gehorchen. ›Schuftend, schiebend, Löhne verdienend – um sie auszugeben – hier? O du meine Güte, nein. Jetzt? Nein, nach und nach. Wenn das Ohr ertaubt und das Herz verdorrt.‹

Hier wurde Cobbet vom Cobbswinkel, der sich – es war da eine Blume – gebückt hatte, von Leuten weitergeschoben, die nachdrängten.

›Denn ich höre Musik‹, sagten sich die. ›Musik weckt uns; bewirkt, daß wir das Verborgene sehen, das Zerstückelte zusammenfügen; lugen und lauschen; die Blumen sehen, wie sie ihr Rot und ihr Weiß, ihr Gelb und ihr Blau ausstrahlen. Und die Bäume mit ihren vielzüngigen, vielsilbelnden, ihren grünen und braunen Blättern drängen uns und treiben uns und heißen uns, wie die Stare und die Krähen zusammenzukommen, uns zu scharen, zu schwatzen und zu scherzen, solange die rote Kuh sich fortbewegt und die schwarze stillesteht.‹

Die Zuschauer waren zu ihren Sitzen gelangt. Einige setzten sich und betrachteten die Aussicht. Die Bühne war leer; die Schauspieler kostümierten sich noch hinter dem Gebüsch. Die Zuschauer wandten sich einer dem andern zu und begannen zu plaudern. Fetzchen und Stückchen erreichten Miss La Trobe, wo sie, das Manuskript in der Hand, hinter einem Baum stand.

»Sie sind noch nicht fertig… Ich höre sie lachen« (sagten die Stimmen). »…kostümieren sich. Das ist die Hauptsache: sich zu kostümieren… Und jetzt ist's angenehmer, die Sonne brennt nicht mehr so… Das ist *ein* Gutes, das der Weltkrieg uns gebracht hat… die Sommerzeit, längere Tage… Wo sind wir stehngeblieben? Erinnern Sie sich?… Bei den Elisabethanern… Vielleicht gelangt sie bis zur Gegenwart, wenn sie einiges überspringt… Glauben Sie, daß die Menschen sich ändern? Ihre Kleidung, gewiß… Aber ich meinte uns selbst… Beim Ausräumen eines Schranks fand ich den alten Zylinderhut meines Vaters… Aber wir selbst – verändern wir uns?«

»Nein, ich kümmere mich nicht darum, was die Politiker sagen. Ich hab' einen Freund, der in Rußland gewesen ist. Er sagt… Und meine Tochter, sie ist soeben aus Rom zurück, die sagt, das gewöhnliche Volk, in den Kaffeehäusern, das haßt Diktatoren… Na ja, so viele Köpfe, so viele Meinungen…«

»Haben Sie's in der Zeitung gelesen – den Fall mit dem Hund? Glauben Sie, daß auch Hündinnen steril sein können?... Und Königin Mary und der Herzog von Windsor, diese Zusammenkunft an der Südküste?... Glauben Sie, was in den Zeitungen steht? Ich frage immer den Fleischer oder den Krämer und... Das dort ist Mr. Streatfield; der, der eine Hürde trägt... Der gute Geistliche, sag' ich immer, leistet mehr für weniger Bezahlung als alle übrigen... Immer sind's die Ehefrauen, die Schwierigkeiten machen...«

»Und was ist's mit den Juden? Den Flüchtlingen?... Juden ... Menschen wie wir selbst, und das Leben von neuem beginnen zu müssen... Aber es ist immer dasselbe gewesen... Meine alte Mutter, die über Achtzig ist, kann sich erinnern... Ja, sie liest noch ohne Brille... Erstaunlich! Tja, aber heißt's nicht immer, daß, wenn man über Achtzig... Jetzt kommen sie... Nein, es ist noch nichts... Ich würde es strafbar machen, Abfälle umherliegen zu lassen. Aber wer soll dann, sagt mein Mann, die Bußen eintreiben?... Ah, dort ist sie, Miss La Trobe, dort drüben, hinter dem Baum...«

Dort drüben, hinter dem Baum, knirschte Miss La Trobe mit den Zähnen. Sie knüllte ihr Manuskript. Die Schauspieler verspäteten sich. Mit jedem Augenblick schlüpfte das Publikum immer mehr aus der Schlinge; zerfiel in Brocken und Bröckchen.

›Musik!‹ winkte sie. ›Musik!‹

»Was ist der Ursprung«, fragte eine Stimme, »dieser Redensart vom Floh im Ohr?«

Gebieterisch senkte sich ihre Hand. »Musik, Musik!« signalisierte sie.

Und das Grammophon begann: A.B.C., A.B.C.

Der König sitzt in seinem Comptoir
Und zählt dort seine Schätze,
Die Königin in ihrem Boudoir
Zur Milch ißt Honigplätze.

Miss La Trobe sah ihnen zu, wie sie sich friedlich in den Kindervers sinken ließen. Sie sah sie die Hände verschränken und ihre Gesichter sich glätten. Dann winkte sie – und endlich, nach einem letzten Griff an ihren Kopfputz, der ihr zu schaffen gemacht hatte, schritt Mabel Hopkins aus dem Gebüsch hervor und nahm ihren Platz auf der höheren Rasenfläche gegenüber den Zuschauern ein.

Augen weideten sich an ihr, wie Fische zu einer Brotkrume nach oben kommen. Wer war sie? Was stellte sie vor? Sie war schön – sehr schön. Ihre Wangen waren bepudert; glatt und klar leuchtete deren Farbe darunter hervor. Ihr graues Gewand aus schwerer Seide (ein Bettüberwurf), in steinähnliche Falten gesteckt, gab ihr das Majestätische einer Statue. Sie hielt ein Zepter und ein kleines kugelförmiges Ding in den Händen. War sie England? War sie Königin Anna? Wer war sie? Sie sprach anfangs zu leise; es war nichts zu hören als

... *Vernunft das Zepter führt.*

Der alte Bartholomew applaudierte. »Hört, hört!« rief er. »Bravo, bravo!«

So ermutigt, sprach die Vernunft frei heraus:

Chronos, gelehnt auf seine Sense, steht und staunt, indes Commercia aus ihrem Füllhorn schüttet ihrer verschied'nen Erze vielerlei Tribut. In Schächten ferner Länder sich der Wilde plackt; zögernde Erde wird zierliches Porzellan. Auf mein Geheiß ent-

gürtet seiner Waffen der Krieger sich; entsagt Altären, die unheil'ger Opfer Dampf umwallt, der Heide. Das Veilchen und das Röselein der Hecken nun der zerriss'nen Erde Wunden decken. Nicht wird der Unachtsame fürderhin der gift'gen Schlange Biß zu fürchten haben. Ein Helm den Bienen dient für Honigwaben.

Sie machte eine Pause. Ein langer Zug von Dörflern in Sackleinen ging hinter ihr zwischen den Bäumen ein und aus.

Hackend und hauend, säend und mähend, sangen sie, aber der Wind blies die Worte hinweg.

Beschirmt von meinem wallenden Gewand (begann sie wieder und breitete die Arme aus), *wachsen die Künste auf. Für mich entfaltet ihre himmlischen Harmonien die Musik. Unangetastet läßt auf mein Geheiß der Sparsame klug sich mehren seinen Hort. In Frieden sieht die Mutter ihre Kinder spielen... ihre Kinder spielen...* wiederholte sie, ihr Zepter schwenkend, und Gestalten kamen aus dem Gebüsch hervor.

Schäfer und Nymphen, setzt nun fort dies Spiel, indessen Zephir schläft und meinem Zepter sich des Himmels unbänd'ge Nomaden fügen.

Eine lustige alte Weise wurde auf dem Grammophon gespielt. Der alte Bartholomew legte die Fingerspitzen aneinander; Mrs. Manresa glättete ihr Kleid um ihre Knie.

Jung-Damon sprach zu Cynthia:
Komm in den Morgen licht,
Leg dein azurnes Mäntlein an
Und sorg dich fürder nicht,
Denn Friede kam für England,

Vernunft nun herrschen mag.
Was kann's dich freu'n, zu träumen,
Wenn blau und grün der Tag?
Wirf hinter dich die Sorgen!
Vorbei die Nacht: 's ist Tag.

Hackend und hauend, sangen die Dörfler, während sie im Gänsemarsch zwischen den Bäumen ein und aus gingen, *denn die Erde ist immer dieselbe, Sommer und Winter und Lenz; und wiederum Sommer und Winter; pflügend und säend, eggend und mähend; die Zeit vergeht...*

Der Wind blies die Worte hinweg.

Der Tanz nahm ein Ende. Nymphen und Schäfer zogen sich zurück. Die Vernunft blieb allein in der Mitte der Bühne stehn. Mit wallendem Gewand, die Arme zur Seite gestreckt, Reichsapfel und Zepter haltend, stand Mabel Hopkins erhaben da und blickte über die Köpfe der Zuschauer weg. Die starrten sie an. Sie beachtete es gar nicht. Und währenddessen stellten Helfer aus dem Gebüsch um sie herum auf, was wie drei Wände eines Zimmers aussah. In die Mitte stellten sie einen Tisch, auf den Tisch ein porzellanenes Teeservice. Von ihrer erhabenen Höhe überblickte die Vernunft unbewegt diese häusliche Szene. Es entstand eine Pause.

»Eine andre Szene, aus einem andern Stück vermutlich«, sagte Mrs. Elmhurst und zog ihr Programm zu Rat. Zum Nutzen ihres Mannes, der schwerhörig war, las sie laut: »*Wo ein Wille ist, da ist ein Weg*. Das ist der Titel des Stücks. Und die Personen...« Sie las vor: »Lady Harpy Keppeling, verliebt in Sir Spaniel Hasenherz. Debora, ihre Zofe. Flavinda, ihre Nichte, verliebt in Florindo. Sir Spaniel Hasenherz, verliebt in Flavinda. Sir Feixius Friedeseimiteuch, ein Geistlicher. Lord und Lady Tändler, Florindo, verliebt in Flavinda. Was für Namen für wirkliche Menschen! Aber schau – dort kommen sie!«

Und dort kamen sie aus dem Gebüsch hervor – Männer in geblümten Westen, in weißen Westen und in Schnallenschuhen; Frauen in gerafften Brokaten, über Reifen drapierten; gläserne Ordenssterne, blaue Bänder und Imitationsperlen ließen sie aussehen wie leibhaftige Lords und Ladys.

»Die erste Szene«, flüsterte Mrs. Elmhurst weithin hörbar ihrem Mann ins Ohr, »spielt in Lady Keppelings Boudoir... Das ist sie dort...« Sie wies hin. »Mrs. Otter vom Waldhaus, glaub' ich, aber sie ist wundervoll zurechtgemacht. Und das ist Debora, ihre Zofe. Wer *sie* ist, weiß ich nicht.«

»Pst, pst, pst«, protestierte jemand.

Mrs. Elmhurst ließ ihr Programm sinken. Das Stück hatte begonnen.

Lady Harpy Keppeling betrat ihr Boudoir, und ihr folgte Debora, ihre Zofe.

LADY H. K. *Reich mir das Riechpulver! Und die Musche. Reich mir den Spiegel, Mädchen! So! Jetzt die Perücke... Die Pest auf die Person – sie träumt schon wieder!*

DEB. *Ich hab' dran denken müssen, M'lady, was der Herr sagte, als er Euch im Park sah.*

LADY H. K. (in den Spiegel blickend) *So, so – was sagte er denn? Irgendwelches dumme Zeug! Der Pfeil Kupidos – haha! – der seine Kerze – pah! – an meinen Augen entzündet... puh! Das war zu Mylords Zeiten, zwanzig Jahre ist's her... Jetzt aber – was wird er jetzt von mir sagen?* (Sie blickt wieder in den Spiegel) *Sir Spaniel Hasenherz, mein' ich...* (Ein Klopfen ist zu hören) *Horch! Da ist schon seine Chaise vorm Haustor. Lauf, Kind! Steh nicht da und halt Maulaffen feil!*

Deb. (zur Tür gehend) *Was er sagen wird? Er wird seine Zunge rasseln lassen, wie ein Spieler die Würfel im Becher. Er wird keine Worte finden, die Euch angemessen sind. Er wird dastehn wie der Ochs vor der neuen Stalltür... Ihre Dienerin, Sir Spaniel!*

(Sir Spaniel tritt auf)

Sir S. H. *Meine Devotion, schöner Engel! Was? Schon so früh aus den Federn? Mich deuchte, als ich durch die Mall kam, die Luft sei um etliches heller als gewöhnlich. Und hier finde ich den Grund... Venus, Aphrodite! Auf mein Wort, eine wahre Milchstraße, eine Konstellation! So wahr ich ein Sünder bin, eine ganze Aurora Borealis!*

(Er macht einen Kratzfuß und nimmt schwungvoll den Hut ab)

Lady H. K. *Oh, des Schmeichlers, des Schmeichlers! Ich kenne Seine Art! Aber komm' Er, setz' Er sich... Ein Gläschen Aquavit? Setz' Er sich hierher, Sir Spaniel. Ich hab' Ihm was ganz Privates und Persönliches zu sagen... Er hat meinen Brief erhalten, Sir?*

Sir S. H. *An mein Herz geheftet!*

(Er schlägt sich an die Brust)

Lady H. K. *Ich muß eine Gunst von Ihm erbitten, Sir.*

Sir S. H. (singt) *Was könnt' der holden Chloe wohl ihr Damon nicht gewähren?... Ach was, Verse! Verse sind noch zu Bett. Wir wollen lieber Prosa sprechen. Was kann Asphodilla wohl wünschen von ihrem schlichten Diener Hasenherz? Sprech' Sie frei heraus, Madam! Einen Affen mit einem Ring durch die Nase oder einen strammen jungen Springinsfeld, daß er Geschichten von uns erzähle, wenn wir nicht mehr hier sind, um selber die Wahrheit über uns zu erzählen?*

LADY H. K. (kokett ihren Fächer schwenkend) *Fi donc, Sir Spaniel! Er macht mich erröten – das tut Er wahrhaftig. Aber komm' er näher.* (Sie rückt ihren Sessel näher an den seinen) *Wir wollen doch nicht die ganze Welt zu Zuhörern haben?*

SIR S. H. (beiseite) *Näher? Lieber die französischen Pocken! Die alte Hexe stinkt wie ein Räucherhering, den man kopfüber ins Teerfaß gesteckt hat.* (laut) *Sie meinte, Madam? Sie sagte soeben?*

LADY H. K. *Ich hab' eine Nichte, Sir Spaniel, mit Namen Flavinda.*

SIR S. H. (beiseite) *Pardi! Die Kleine, in die ich verliebt bin, kein Zweifel!* (laut) *Sie hat eine Nichte, Madam? Ich scheine mich zu erinnern, so gehört zu haben. Ein einziges Kind. Von Ihrer Ladyschaft Bruder, so hab' ich gehört, Ihrer Ladyschaft Obhut hinterlassen – von ihm, der ein Opfer der See ward.*

LADY H. K. *Ebendieselbige, Sir. Sie ist nun mündig und heiratsfähig. Ich hab' sie eingesponnen gehalten wie einen Wiebel, Sir Spaniel, umhüllt vom Wachstuch ihrer Jungfräulichkeit. Immer nur weibliche Dienerschaft um sie. Niemals ein Mann, meines Wissens, ausgenommen Klot, den Bedienten, und der hat eine Warze auf der Nase und ein Gesicht wie eine Muskatnußraspel. Und doch hat sie sich in irgendeinen jungen Fant vergafft. Irgendeinen leichten Gaukelfalter – irgendeinen Tom oder Harry, heiß' er, wie er will.*

SIR S. H. (beiseite) *Das ist der junge Florindo, möcht' ich wetten. Ich hab' die beiden einmal dabei überrascht.* (laut) *Was Sie nicht sagt, Madam!*

LADY H. K. *Sie ist nicht so übel von der Natur bedacht – Schönheit erbt sich fort in unsrer Linie, Sir Spaniel, – daß ein Edelmann von Geschmack und Erziehung wie Er selbst sich ihrer nun nicht erbarmen möchte.*

SIR S. H. *Mit Verlaub, Madam! Augen, welche die Sonne gesehen, sind nicht so leicht geblendet von geringeren Leuchten – den Kassiopeien, den Aldebaranen, den Großen Bären und dergleichen. Keinen Pfifferling für die, sobald die Sonne aufgegangen ist!*

LADY H. K. (ihm Augen machend) *Er lobt meinen Coiffeur, Sir, oder meine Ohrringe* (sie schüttelt den Kopf).

SIR S. H. (beiseite) *Sie bimmelt wie eine Eselstute auf einem Jahrmarkt. Und aufgetakelt ist sie wie eine Barbierstange am Maitag.* (laut) *Was befiehlt Sie, Madam?*

LADY H. K. *Sieht Er, Sir, 's war so, Sir: Bruder Bob – denn mein Vater war ein schlichter Landedelmann und hat nichts wissen wollen von diesen affektierten Modenamen, die die Ausländer mitgebracht haben, – Asphodilla, so nenn' ich mich zwar, aber getauft bin ich auf den ehrlichen Namen Susanna, – Bruder Bob, wie ich Ihm erzählte, lief von zu Hause weg und ging zur See. Und er wurde, so sagt man, Kaiser beider Indien, wo die gewöhnlichsten Steine Smaragde sind und sogar die Schafsweiden voller Rubine liegen, die welchen er – denn ein gutherzigerer Mann hat nie gelebt – mit sich heimgebracht hätte, Sir, um dem Familienvermögen aufzuhelfen, Sir. Aber die Brigg, die Fregatte oder wie man sie nennt, denn ich hab' keinen Kopf für Seemannsausdrücke – ich bin nie über einen Graben gesprungen, ohne das Vaterunser von hinten herzusagen, – das Schiff also zerschellte an einem Felsenriff. Und mein Bruder fiel einem Walfisch zur Beute. Die Wiege aber, die wurde durch des Himmels Güte ans Land geschwemmt. Mit der Kleinen darin, unsrer Flavinda. Und was noch mehr zur Sache gehört: mit dem Testament darin; heil und ganz und in Pergament eingeschlagen; Bruder Bobs Letztem Willen. Heda, Deb! Deb!*

(Klatscht in die Hände und ruft laut nach Debora)

SIR S. H. (beiseite) *Aha! Ich wittre was! Ein Letzter Wille sagt sie? Wo ein Wille ist, da ist ein Weg.*

LADY H. K. (laut rufend) *Das Testament, Deb! Das Testament! In der Ebenholzschatulle, rechter Hand in dem Escritoire vor dem Fenster... Die Pest auf die Person! Die Flitsche träumt schon wieder. Das kommt von diesen Romanen, Sir Spaniel, diesen Romanen! Kann keine Kerze triefen sehen, und schon ist's ihr Herz, das schmilzt, und keinen Docht schneuzen, ohne alle Namen in Kupidos Kalender herzusagen...*

(Debora tritt auf, ein Pergament in der Hand)

LADY H. K. *So... Gib her! Das Testament, Bruder Bobs Letzter Wille* (sie murmelt, darüber gebeugt, dann:)

LADY H. K. *Um der Katze den Schwanz zu kürzen, Sir, denn diese Advokaten haben sogar bei den Antipoden einen langen Atem –*

SIR S. H. *Einen ihren Ohren angepaßten, Madam –*

LADY H. K. *Sehr wahr, sehr wahr, Sir. Ums kurz zu machen, Sir, mein Bruder Bob vererbte alles, in dessen Besitz er starb, seinem einzigen Kind, Flavinda; mit diesem Proviso, wohlgemerkt: daß sie nur zum Wohlgefallen ihrer Tante heirate. Ihre Tante, das bin ich. Widrigenfalls – merk' Er wohl! – alles – will heißen, zehn Scheffel von Diamanten, item von Rubinen, item zweihundert Quadratmeilen fruchtbaren Landes, an den Amazonasfluß grenzend im Nordnordosten; item seine goldene Schnupftabaksdose; item sein Flageolett – er war immer einer, der was übrig hatte für eine gute Melodie, mein Bruder Bob, Sir; item sechs Aras und so viele Konkubinen, wie er bei sich hatte zur Zeit seines Ablebens – das alles samt andern solchen Kleinigkeiten, die anzuführen unnötig ist, das hinterließ er, wohlgemerkt, falls sie sich nicht nach dem Gefallen ihrer Tante – die bin ich – vereheliche, zur Stiftung einer Kapelle, Sir Spaniel, wo sechs arme Jungfern* in perpetuum *fromme Lieder singen sollen für den Frieden seiner Seele – wes, die Wahrheit zu sagen, Sir Spaniel, mein armer Bruder Bob dringlichst bedürftig ist, wo er doch im Golfstrom umhervagiert und mit Sirenen Umgang pflegt. Aber nehm' Er und les' Er's selber, das Testament, Sir!*

Sir S. H. (lesend) »*...zum Wohlgefallen ihrer Tante heiraten muß.« Das ist deutlich genug.*

Lady H. K. *Ihrer Tante, Sir. Das bin ich. 's ist deutlich genug.*

Sir S. H. (beiseite) *Da spricht sie die Wahrheit!* (laut) *Sie will mir wohl zu verstehn geben, Madam...?*

Lady H. K. *Pst! Komm' Er näher! Lass' Er mich Ihm ins Ohr flüstern... Er und ich, wir hegen schon lange eine hohe Meinung voneinander, Sir Spaniel. Haben Federball gespielt miteinander. Unsre Handgelenke mit Ketten von Maßliebchen zusammengebunden. Wenn ich mich recht erinnere, nannte Er mich seine kleine Braut – vor gut fünfzig Jahren. Wir hätten ein Paar werden können, Sir Spaniel, wäre das Glück uns günstig gewesen... Er versteht mich doch, Sir?*

Sir S. H. *Wär's mit güldenen Lettern geschrieben, fünfzig Fuß hoch und sichtbar vom St.-Pauls-Kirchhof bis zum ›Lustigen Landmann‹ in Peckham, es könnt' nicht deutlicher sein... Pst! Ich will's flüstern. Ich, Sir Spaniel Hasenherz, halt' mich hiermit für gebunden, dich – wie ist der Name der grünen Göre, die in einer Hummernreuse, von Seetang bedeckt, an Land geschwemmt wurde? Flavinda, wie? Flavinda also – zu meinem Eheweib zu nehmen... Oh, wär' ein jurisprudenter Mann hier, um es alles gleich schriftlich festzuhalten!*

Lady H. K. *Unter einer Bedingung, Sir Spaniel.*

Sir S. H. *Unter einer Bedingung, Asphodilla.*

(beide gleichzeitig sprechend)

Daß das Geld zwischen uns geteilt werde!

Lady H. K. *Dazu braucht's keinen Notar, das zu bescheinigen! Seine Hand darauf, Sir Spaniel!*

Sir S. H. *Ihre Lippen, Madam!*

Sie (umarmen einander)

Sir S. H. (beiseite) *Puh! Sie stinkt!*

»Hahaha!« lachte die alteingesessene greise Dame in ihrem Rollstuhl.

»Vernunft, bei Gott! Vernunft!« rief der alte Bartholomew aus und blickte auf seinen Sohn, als ermahnte er ihn, diese weibischen Wallungen abzulegen und ein Mann zu sein, Sir!

Giles saß bolzgerade da, die Füße unter sich gezogen.

Mrs. Manresa hatte Puderdose und Stift hervorgeholt und widmete sich ihren Lippen und ihrer Nase.

Das Grammophon sprach, während die Szene abgebaut wurde, sanft gewisse Tatsachen aus, die jedermann als durchaus wahr kennt. Die Weise besagte mehr oder weniger, wie die Abenddämmerung, ihre Gewänder um sich raffend, zögernd innehält, um ihren tauigen Mantel sinken zu lassen; die eingetriebnen Herden, so ging die Weise weiter, friedlich ruhn; der Arme, heimgekehrt in seine Hütte, nun dem begier'gen Ohr von Weib und Kind über sein Tagwerk schlichte Kunde gibt: Welchen Ertrag der Acker schon verspricht; wie das Gespann des Kiebitznestes schonte; indessen Lampe seine Läufe regte und, heil geblieben, Eier, bunt gesprenkelt, im warmen Grübchen lagen. Mittlerweile bescheidne Kost sein braves Weib ihm auftischt, und harter Mühe ledig sich zum Klang der Hirtenflöte Nymphen dann und Schäfer die Hände reichen auf des Angers Grün und froh das Tanzbein schwingen. Ihre dunkeln Flechten die Abenddämm'rung löst und den besternten Schleier breitet über Weiler, Gehöft' und Kirchturm, Fluren und so weiter. Und diese Weise wiederholte sich.

Die Aussicht wiederholte auf ihre Art, was die Weise besagte. Die Sonne sank; die Farben flossen ineinander; und die Aussicht erzählte davon, wie die Menschen von ihren Mühen ruhen; die Kühle kommt; Vernunft vorherrscht; und Nachbarn, das Gespann vom Pflug gelöst, im Gärtchen auf den Spaten treten oder plaudernd am Gatter lehnen.

Die Kühe sagten, indem sie einen Schritt vorwärts taten und dann wieder stillstanden, dasselbe unübertrefflich vollkommen.

Von dieser dreifachen Melodie umlullt, saß das Publikum und schaute; und sah duldsam und beifällig und ohne zu fragen, denn es schien unvermeidlich zu sein, ein Buchsbäumchen in einem grünen Zuber die Stelle des Ankleidekabinetts der Lady einnehmen; indes an etwas, das eine Mauer zu sein schien, ein großes Uhrzifferblatt gehängt wurde, dessen Zeiger auf drei Minuten vor der vollen Stunde wiesen; welche die siebente war.

Mrs. Elmhurst entraffte sich ihrer Träumerei und blickte auf ihr Programm.

»Zweite Szene. Die Mall«, las sie vor. »Zeit: früher Vormittag. Flavinda tritt auf. – Da kommt sie schon!«

Und da kam Millie Loder (Ladengehilfin bei Hunt & Dickson, Schnittwarenhandlung) in geblümter Seide und war Flavinda.

FLAV. *Um sieben, sagte er, und die Uhr dort gibt ihr Wort darauf. Aber Florindo – wo ist Florindo? Ach! Wie mein Herz pocht! Doch das kommt nicht von der Tageszeit, denn bin ich nicht oft schon munter und auf den Beinen, bevor die Sonne über den Wiesen ist? ... Sieh nur – die vornehmen Leute, die hier vorbeikommen! Alle trippeln sie einher wie die Pfauen, wenn sie ein Rad schlagen! Und ich in meinem Fähnchen, das sich so fein ausnahm im Spiegel meiner Tante, in dem gesprungenen! Wie nur? Hier ist's ein Wischlappen... Und alle tragen sie das Haar hochgetürmt wie ein Geburtstagskuchen, ein mit Kerzen besteckter... Das dort ist ein Diamant – und das ein Rubin... Aber wo bleibt Florindo? Beim Pomeranzenbaum in der Mall, sagte er. Der Baum? Dort! Florindo? Nirgends. Der da ist ein Herr vom Hof, will ich schwören, dieser alte Fuchs, der den Schweif zwischen die Beine geklemmt hat. Und die da ist ein Dienstmensch, ohne Wissen ihrer Herrschaft ausgegangen. Hier kommt ein Mann mit einem Besen, um einen Weg freizufegen für die Falbelsäume der vornehmen Damen. Ha! Das Rot ihrer Wangen! Das haben sie sich nicht auf den Feldern geholt, möcht' ich wetten! ... O treuloser, grausamer, hartherziger Florindo! Florindo! Florindo!*

(Sie ringt die Hände und wendet sich bald nach der einen, bald nach der andern Seite)

Hab' ich nicht mein Bett auf Katzenpfoten verlassen und bin geschlichen wie ein Mäuschen hinterm Wandgetäfel, aus Furcht, die Tante zu wecken? Um mir das Haar einzustäuben aus ihrer Puderdose? Und hab' ich nicht meine Wangen geschrubbt, daß sie prangen sollten? Und bin ich nicht wach gelegen und hab' die Sterne über die Schornsteine steigen sehen? Und hab' ich nicht die Goldguinee, die mein Pate letzte Dreikönig hinterm Mistelzweig versteckte, Deb gegeben, damit sie mich nicht verrate? Und den

Schlüssel im Schloß geschmiert, damit die Tante nicht aufwache und ›Flavvy, Flavvy!‹ schreie? ... Florindo, hör doch! Florindo, sag' ich – das ist er, *der dort kommt... Nein, ich würd' ihn auf eine Meile erkennen an der Art, wie er über die Wellen schreitet gleich dem – wie heißt er doch im Bilderbuch?... Das ist nicht Florindo... Das ist ein Geck, ein Stutzer; hebt sein gestieltes Lorgnon vor die Augen – ich bitt' dich! – um sich vollzugaffen an mir... Nach Hause zurück denn... Nein, lieber doch nicht... Da müßt' ich wieder das grüne Ding spielen und den Stickrahmen vollsticheln... Ich bin doch mündig – oder etwa nicht? – auf nächste Michelmeß? Nur drei Kreisläuf' des Monds, und ich erbe... Hab' ich's nicht in dem Testament gelesen damals, als mein Ball auf die kleine Truhe hüpfte, wo die Tante ihren Schmuck und ihren Kleinkram verwahrt, und der Deckel aufsprang?... ›Alles, was ich bei meinem Ableben besitze, meiner Tochter...‹, so weit hatt' ich gelesen, als die alte Dame durch den Korridor getappt kam wie ein Blinder durch ein Gäßchen... Ich bin keine Verstoßene, tu' ich Ihm zu wissen, Sir! Keine fischschwänzige Meermaid in einem Gewand aus Seetang und angewiesen auf die Gunst Seiner Gnaden! Ich bin einer jeden von ihnen gewachsen – den Püppchen, mit denen Er tändelt. Und mich will Er beim Pomeranzenbaum auf Ihn warten haben, während Er noch den Schlummer nachholt, den Er in ihren Armen versäumt hat?... Pfui über Ihn, Sir, so Sein Spiel zu treiben mit einem wehrlosen Mädchen! Aber ich werd' nicht weinen, ich schwör's, ich werd's nicht! Keinen Tropfen des salzigen Naß will ich brauen für einen Mann, der mich so gering estimiert... Und doch – bloß dran zu denken, wie wir uns in der Milchkammer versteckten an dem Tag, als das Kätzchen sprang. Und wie wir Romane lasen unter dem Stechpalmenbaum. Ach! Wie ich weinte, als der Herzog die arme Polly verließ... und die Tante mich fand mit Augen wie rote Sülze. ›Was? Ein Bienenstich, Nichte?‹ fragt sie. Und ruft: ›Hurtig, Deb, das Kräuterkissen!‹ Ich hab's dir ja erzählt... Herrje! Zu denken, ich las es alles bloß in einem Buch und weinte für eine andre! ... Pst, was ist das dort zwischen den Bäumen? 's ist da – 's ist weg. Ist's der Wind? Im Schatten jetzt – in der Sonne jetzt... Florindo, bei meinem Leben! Er ist's! Geschwind, ich will mich verstecken. Mag der Baum da mich verbergen!*

(Flavinda versteckt sich hinter dem Baum)

Er kommt hierher... Nein, er kehrt um... Er späht um sich... Er hat die Fährte verloren. Er schaut hierhin – dorthin... Mag er seine Augen weiden an den feinen Lärvchen – sie verkosten, sie vergleichen, sagen: »Das ist die vornehme Dame, mit der ich tanzte... mit der ich lag... die ich unter dem Mistelzweig küßte...« Ha! Wie er sie alle ausspeit! Wackerer Florindo! Wie er die Augen zu Boden senkt! Wie sein düsterer Blick ihm wohl ansteht! »Wo bleibt Flavinda?« seufzt er. »Sie, die ich liebe wie das Herz in meiner Brust.« Sieh ihn nur seine Uhr hervorziehen! »O Treulose!« seufzt er. Sieh nur, wie er mit dem Fuß aufstampft! Nun sich auf dem Absatz wendet... mich erblickt – nein, die Sonne scheint ihm in die Augen. Tränen füllen sie... O Gott, wie er seinen Degen befingert! Er wird sich ihn durch die Brust rennen wie der Herzog in dem Geschichtenbuch! ... Halt' Er ein, Sir, halt' Er ein!

(Sie tritt hervor)

FLORINDO... *O Flavinda, oh!*
FLAVINDA... *O Florindo, oh!*

(Sie umarmen einander)
Die Uhr schlägt neun.

»So viel Getue um nichts!« rief eine Stimme. Leute lachten. Die Stimme verstummte. Aber die Stimme hatte gesehen; die Stimme hatte gehört. Einen Augenblick lang erglühte Miss La Trobe hinter ihrem Baum in Glorie. Im nächsten wandte sie sich den Dörflern zu, die sich zwischen den Bäumen ein und aus schlängelten, und schnauzte:

»Lauter! Lauter!«

Denn die Bühne war leer; die Gemütsbewegung mußte fortdauern; das einzige, um sie fortdauern zu lassen, war Gesang; und die Worte waren nicht zu hören.

»Lauter! Lauter!« Sie drohte ihnen mit geballten Fäusten.

Hackend und hauend (sangen sie), *Hecken stutzend und Gräben putzend gehn wir dahin... Sommer und Winter, Herbst und Frühling kehren wieder... Alles außer uns vergeht, alles verändert sich... wir aber bleiben ewig dieselben...* (der leichte Wind blies Lücken zwischen ihre Worte).

»Lauter, lauter!« zeterte Miss La Trobe.

Paläste stürzten ein (begannen sie von neuem), *Ninive, Troja, Babylon... und Cäsars großes Haus... nur Trümmer noch zeugen davon... wo nun der Kiebitz nistet, wölbte sich einst der Bogen... durch den die Römer zogen... Hackend und hauend, mit der Pflugschar die Scholle brechend... wo Klytemnästra Ausschau hielt nach dem Gemahl ... die Feuer flammen sah auf den Bergen... sehen wir nur die Scholle... Hackend und hauend gehn wir dahin... gestürzt der Wachtturm, die Königin... Agamemnon der Würmer Raub... Klytemnästra Asche und...*

Die Worte verhallten. Nur ein paar große Namen – Babylon, Ninive, Klytemnästra, Agamemnon – schwebten durch den leeren Raum her. Dann erhob sich der Wind, und im Blätterrauschen wurden sogar die großen Namen unhörbar. Und das Publikum starrte die Dörfler an, wie sie den Mund öffneten; aber kein Laut kam hervor.

Die Bühne war leer. Miss La Trobe lehnte an dem Baum wie gelähmt. Ihre Macht hatte sie verlassen. Schweißperlen brachen auf ihrer Stirn aus. Illusion hatte versagt. »Das ist der Tod«, murmelte sie, »der Tod.«

Dann auf einmal, während Illusion sich verflüchtigte, nahmen die Kühe den Kehrreim auf. Eine konnte ihr Kalb nicht finden. Grade noch im rechten Augenblick hob sie den großen mondäugigen Kopf und muhte. Alle die großen mondäugigen Köpfe legten sich zurück. Von einer Kuh nach der andern kam dasselbe sehnsüchtige Muhen. Die ganze Welt war von wortlosem Sehnen erfüllt. Es war die urzeitliche Stimme, die dem gegenwärtigen Augenblick ins Ohr klang. Dann wurde die ganze Herde davon angesteckt. Mit dem Schwanz schlagend, dem an seinem Ende wie ein Schüreisen verdickten, warfen sie alle den Kopf hoch, stürmten hierhin und dorthin und muhten, als hätte Eros ihnen seinen Pfeil in die Flanke getrieben und sie zu Raserei angestachelt. Die Kühe vernichteten die Lücke; überbrückten die Entfernung; füllten die Leere und hielten die Gemüter in Bewegung.

Miss La Trobe schwenkte die Hand verzückt gegen die Kühe hin.

»Dem Himmel sei Dank!« rief sie aus.

Plötzlich hielten die Kühe inne; senkten die Köpfe und begannen wieder zu grasen. Gleichzeitig senkten die Zuschauer die Köpfe und lasen das Programm.

»Der Regisseur«, las Mrs. Elmhurst laut zum Nutzen ihres Mannes, »erbittet die Nachsicht des Publikums. Aus Zeitmangel ist eine Szene weggelassen, und das Publikum wird ersucht, sich vorzustellen, daß in der Zwischenzeit Sir Spaniel Hasenherz eine Verlobung mit Flavinda eingegangen ist, die schon ihr Jawort verpfänden will; da tritt der in der Standuhr verborgene Florindo hervor; macht seinen Anspruch auf Flavinda als seine Braut geltend; enthüllt die Intrige, durch die sie ihres Erbes beraubt werden soll; und während der entstandenen Verwirrung flieht das Liebespaar und läßt Lady Harpy und Sir Spaniel miteinander allein.«

»Das alles sollen wir uns vorstellen«, fügte sie hinzu und nahm ihre Brille ab.

»Sehr vernünftig von ihr«, sagte Mrs. Manresa zu Mrs. Swithin. »Wenn sie das alles hineingetan hätte, würden wir noch um Mitternacht hier sitzen. Also müssen wir es uns wohl vorstellen.« Sie tätschelte der alten Dame das Knie.

»Vorstellen?« erwiderte Mrs. Swithin. »Wie recht! Schauspieler zeigen uns zuviel. Die Chinesen, wissen Sie, legen einen Dolch auf den Tisch, und das ist eine Schlacht. Und so hat auch Racine...«

»Ja, sie langweilen einen zu Tod«, unterbrach Mrs. Manresa, die Kultur witterte und diesen Nasenstüber für das muntere Menschenherz übelnahm. »Unlängst führte ich meinen Neffen – er ist in Sandhurst, in der Militärakademie, so ein munterer Junge – zu ›Da bist du einfach paff‹. Haben Sie's gesehn?« wandte sie sich an Giles.

»Auf und ab die City Road«, summte er als Antwort.

»Hat Ihre Kinderfrau das gesungen?« rief Mrs. Manresa aus. »Die meine ja. Und wenn sie zu ›paff‹ kam, machte sie ein Geräusch wie ein Kork, der aus einer Flasche Ingwerbier gezogen wird. Paff!« Sie machte das Geräusch.

»Pst, pst«, flüsterte jemand.

»Jetzt war ich unartig und schockierte Ihre Tante«, sagte sie. »Wir müssen brav sein und zuhören. Dies ist die dritte Szene. Lady Harpy Keppelings Boudoir. Getrappel von Pferdehufen in der Ferne.«

Das Hufgetrappel, energisch von Albert, dem Dorftrottel, mit einem hölzernen Kochlöffel auf einem Servierbrett wiedergegeben, verklang.

LADY H. K. *Schon auf halbem Weg nach Gretna Green! O meine hinterlistige Nichte! Du, die ich aus der Salzflut rettete und triefend ans Herdfeuer trug! Oh, daß der Wal dich als ganze verschlungen hätte! Unverläßliches Ungeheuer, oh! Hat nicht schon dein Abc-Buch dich gelehrt: Ehre deine Großtante? Wie falsch hast du's gelesen und falsch buchstabiert, stehlen und trügen gelernt und Testamente zu lesen in alten Truhen und Schurken zu verstecken in ehrlichen Zeitmessern, die nie eine Sekunde unterschlugen seit des guten König Karls Tagen! O Flavinda! O Leviathan, oh!*

SIR S. H. (während er versucht, seine hohen Stiefel anzuziehen) *Alt! Alt! Alt! Er nannte mich ›alt‹ – ›In dein Bett mit dir, alter Narr, und trink deine heiße Würzmilch!‹*

LADY H. K. *Und sie, auf der Schwelle innehaltend und mit dem Finger der Verachtung auf mich weisend, sagte: ›Alte‹ – ›Alte‹, sagte sie, Sir, – zu mir, die ich in der Blüte des Lebens stehe und eine Dame bin!*

SIR S. H. (an seinen Stiefeln zerrend) *Aber ich will schon quitt werden mit ihm! Ich werd' ihnen mit dem Gesetz auf den Leib rücken! Ich werd' die beiden schon aufspüren...*

(Nur den einen Stiefel angezogen, humpelt er umher)

Lady H. K. (ihm die Hand auf den Arm legend) *Hab' Er Mitleid mit Seiner Gicht, Sir Spaniel! Fass' Er sich, Sir, – wir wollen uns nicht in Tollwut stürzen, wir, die wir auf der sonnigen Seite der Fünfzig stehn. Was ist schon diese Jugend, mit der sie sich brüsten? Nichts als ein Gänseflaum, den der Nordwind hinwegweht. Setz' Er sich doch, Sir Spaniel. Vergönn' Er Seinem Bein Ruhe – so –*

(Sie schiebt ein Kissen unter sein Bein)

Sir S. H. *›Alt‹ nannte er mich … und schnellt aus der Uhr hervor wie ein Springteufel … Und sie, ihren Spott treibend mit mir, weist auf mein Bein und kreischt: ›Kupidos Pfeil, Sir Spaniel, Kupidos Pfeil!‹ Oh, daß ich die beiden in einem Mörser schmoren könnte, um sie dampfend heiß aufzutischen auf dem Altar des – Oh, meine Gicht, meine Gicht!*

Lady H. K. *So zu reden, Sir, ziemt einem Manne von Vernunft übel. Erinnere Er sich, Sir! Erst gestrigen Tags rief Er – ahem! – die Konstellationen an. Kassiopeia, Aldebaran; die Aurora Borealis … Es läßt sich nicht leugnen, daß eine von ihnen ihre Sphäre verlassen hat, eine Schnuppe geschnellt hat, entlaufen ist, um's deutlich zu sagen, mit dem Eingeweid' eines Zeitmessers, dem bloßen Pendel einer Standuhr. Aber, Sir Spaniel, es gibt einige Sterne, die – ahem! – fix bleiben. Die, um es aufs kürzeste zu sagen, nie so hell leuchten wie vor einem guten Kohlenfeuer im Kamin an einem kühlfrischen Morgen.*

Sir S. H. *Oh, daß ich fünfundzwanzig wäre, mit einem scharfen, spitzen Degen an meiner Seite!*

Lady H. K. (sich in die Brust werfend) *Ich glaube, ich verstehe Ihn, Sir. Hihi – ganz gewiß, ich bedauere es so wie Er. Aber Jugend ist nicht alles. Um Ihn in ein Geheimnis einzuweihen, ich bin selber schon über den Meridian. Bin auch schon auf der andern Seite des Äquators, auch ich! Schlafe fest die ganze Nacht lang, ohne mich auch nur einmal umzudrehen. Die Hundstage sind vorbei... Aber bedenk' Er, Sir: Wo ein Wille ist, da ist ein Weg.*

Sir S. H. *Gott's Wahrheit, Madam... Ah, mein Fuß ist wie ein glühendes Hufeisen auf dem Amboß des Teufels! Au! Au! – Was hat Sie gemeint, Madam?*

Lady H. K. *Gemeint, Sir? Muß ich meiner Züchtigkeit Gewalt antun? Und muß ich entwatten, was in Lavendel gelegt war seit mein Ehegemahl – Friede seinem Namen! – 's ist zwanzig Jahre her – in Blei gehüllt ward? Mit schlichten Worten, Sir, Flavinda ist entflohen. Das Vogelbauer ist leer. Aber wir, die wir unsre Handgelenke mit Primeln banden, könnten sie wohl mit einer stärkeren Kette vereinen. Genug der Floskeln und Redefiguren! Hier bin ich, Asphodilla, – aber mein schlichter Name ist Susanna – hier bin ich, heil und herzhaft, zu Seinen Diensten. Nun, da das Komplott an den Tag kam, muß Bruder Bobs Erbschaft als Spende den Jungfrauen zufallen. Das ist klar. Hier haben wir des Notars Federfuchs Wort dafür... ›Fromme Jungfrauen... auf ewig... für seine Seele singen.‹ Und ich verbürg' mich Ihm, mein Bruder hat's nötig... Aber gleichviel, haben wir auch den Fischen hingeworfen, was uns in Lammswolle gehüllt hätte, bin ich doch keine Bettlerin. Da hat's Wohnhäuser und Ländereien und Nießbräuche; Hauswäsche; Vieh; meine Mitgift; ein Inventar. Ich will's Ihm zeigen; auf Pergament geschnörkelt. Genug, des verbürg' ich mich, um uns beide für den Ablauf unsrer Tage standesgemäß zu erhalten als Ehemann und Ehefrau.*

Sir S. H. *Ehemann und Ehefrau! Das also ist die schlichte Wahrheit davon! Wie doch, Madam? Lieber an ein Teerfaß gefesselt, an einen Dornbusch im Wintersturm gebunden sein. Pah!*

Lady H. K. *Ein Teerfaß, sagt Er? Ein Dornbusch, so sagt Er? Er, der nicht genug von Konstellationen und Milchstraßen reden konnte! Er, der schwur, ich überstrahle sie alle! Die französischen Pocken auf ihn! Er Treuloser, Er! Er Haifisch, Er! Er Schlange in Schaftstiefeln! Also Er will mich nicht nehmen? Weist meine Hand zurück? Ist's das, was Er meint?*

(Sie streckt ihm die Hand hin; er schlägt sie beiseite)

Sir S. H. *Verberg' Sie Ihre Gichtknoten in einem lammswollenen Handschuh! Pah! Ich will keinen von ihnen. Wären sie von Diamant, reinstem Diamant, und trüge Sie die halbe bewohnbare Welt und alle ihre Konkubinen als eine Kette um den Hals gewunden, wollt' ich nichts davon... nichts davon. Enthändige Sie mich, Kreischeule, Hexe, Vampyr! Lass' Sie mich!*

Lady H. K. *So waren denn alle Seine schönen Worte gleisnerischer Flitter um einen Knallfrosch!*

Sir S. H. *Glöckchen um einen Eselinnenhals! Papierrosen um eine Hopfenstange... Au, mein Fuß, mein Fuß!... Kupidos Pfeil, so verspottete sie mich... Alt, alt, er nannte mich alt...*

(Er geht humpelnd ab)

Lady H. K. (allein geblieben) *Alle sind sie gegangen, folgen dem Wind. Er ist fort; sie ist fort; und die alte Uhr, zu deren Pendel sich der Malefizspitzbube machte, ist die einzige von ihnen allen, die stehnblieb. Die Pest auf sie alle – das Haus einer ehrbaren Frau in ein Bordell zu verwandeln! Ich, die ich die Aurora Borealis war, bin zu einem Teerfaß geschrumpft. Ich, die Kassiopeia war, bin zu einer Eselin geworden. Mir dreht sich alles im Kopf. Es ist keinem Mann und keinem Weib zu trauen; noch auch schönen Reden; noch auch schönen Mienen. Zieh bloß den Schafspelz ab, und hervor kriecht die Schlange. Eilt nur nach Gretna Green! Bettet euch aufs nasse Gras und zeugt Vipern!*

Der Kopf wirbelt mir... Teerfässer, wahrhaftig! Kassiopeia... Gichtknoten... Andromeda... Dornbüsche... Deb, sag' ich, Deb! (laut rufend) *Schnür' mich auf! Ich könnt' sonst zerplatzen... Bring mir meinen grünen Spieltisch und leg die Karten zurecht... Und meine pelzgefütterten Pantoffeln, Deb! Und eine Tasse Schokolade... Ich werd's ihnen heimzahlen!... Ich werd' sie alle überleben... Deb, sag' ich, Deb! Die Pest auf das Mädel! Kannst du mich nicht hören? Deb, sag' ich, du Zigeunerbankert, das ich unter einer Hecke hervorholte und Muster sticken lehrte! Deb! Deb!*

(Sie stößt die Tür zur Kammer der Zofe auf)

Leer! Auch sie weg!... Ha, was ist das dort auf dem Putztisch?

(Sie ergreift einen Zettel und liest)

›Was liegt mir an Euerem Gänsedaunenbett? Ich zieh' mit den lustigen Zigeunern fort. Gezeichnet: Debora, vormals Eure Kammerzofe.‹ So! Sie, die ich mit Äpfelschalen und Brotrinden von meiner eigenen Tafel nährte! Sie, die ich Pikett zu spielen und Hemden zu flicken lehrte!... Auch sie hat mich verlassen. O Undankbarkeit, dein Name ist Debora! Wer soll nun das Geschirr spülen? Wer mir meinen Schlaftrunk bringen, meine Launen ertragen und mich aufschnüren?... Alle weg! Und ich denn allein. Ohne Liebhaber, ohne Kammerzofe, ohne Nichte, ohne nichts!

Und wollt ihr die Moral aus diesem Stücke?
Der kleine Liebesgott ist voller Tücke;
Er trifft so alt wie jung mit seinem Pfeile,
Lähmt dem den Fuß, treibt die zur Übereile.
Da hilft nur, daß sich stets der Wille reg',
Denn wo ein Wille ist, da ist ein Weg.
Das, fromme Jungfrauen, singt! Nur nicht geziert!
Lebt wohl, ihr guten Leut', und applaudiert!
(Mit einem Knicks zog sich Lady H. K. zurück)

Die Szene war zu Ende. Die Vernunft stieg von ihrem Sokkel. Ihre Gewänder um sich raffend, dankte sie gelassen für den Applaus und ging quer über die Bühne ab; große Damen und Herren mit Stern und Hosenbandorden folgten ihr; Sir Spaniel eskortierte grinsend Lady Keppeling; und Florindo und Flavinda verneigten sich und knicksten Arm in Arm.

»Gott's Wahrheit!« rief der alte Bartholomew, von der Sprache angesteckt. »Da liegt eine Moral für uns darin!«

Er warf sich in seinem Sessel zurück und lachte wie ein Pferd.

Eine Moral. Welche? Giles vermutete, sie sei: Wo ein Wille ist, da ist ein Weg. Die Worte reckten sich hoch und wiesen mit verachtungsvollem Finger auf ihn. Fort nach Gretna Green mit seinem Mädel; die Tat vollbracht. Hol' der Teufel die Folgen!

»Würden Sie sich gern das Glashaus ansehen?« wandte er sich unvermittelt an Mrs. Manresa.

»Mit Wonne!« rief sie aus und stand auf.

War jetzt eine Pause? Ja, das Programm sagte so. Das Ding dort im Gebüsch ging tschack, tschack, tschack. Und die nächste Szene?

»Das Viktorianische Zeitalter«, las Mrs. Elmhurst vor. Vermutlich war also Zeit für einen Bummel durch den Garten, sogar für eine Besichtigung des Hauses. Dennoch fühlten sie sich alle – wie es ausdrücken? – ein wenig nicht hier und nicht dort. Als hätte das Schauspiel den Ball aus seinem Becher gestoßen; als schwebte, was sie ihr Ich nannten, noch immer losgelöst und käme nirgends zur Ruhe. Nicht ganz sie selbst, so fühlten sie sich. Oder lag es nur daran, daß sie sich ihrer Kleidung bewußt fühlten? Dürftig geschneiderte, altmodische Voilekleider; Flanellhosen; Panamahüte; Hüte, mit himbeerrotem Netzstoff umwunden, im Stil des Huts, den die königliche Hoheit in Ascot getragen hatte, schienen irgendwie ein wenig armselig zu sein.

»Wie entzückend die Kostüme waren«, sagte jemand mit einem letzten Blick auf die entschwindende Flavinda. »Äußerst kleidsam. Ich wollte...«

Tschack, tschack, tschack, ging das Ding im Gebüsch, regelmäßig, beharrlich.

Wolken wanderten über den Himmel. Das Wetter sah ein wenig unsicher aus. ›Hogbens Narretei‹ war einen Augenblick fahl wie Asche. Dann fiel ein Sonnenstrahl auf die vergoldete Wetterfahne des Münsters von Bolney.

»Sieht ein wenig unbeständig aus«, sagte jemand.

»Auf mit dir! Gehn wir ein bißchen die Beine strecken«, sagte eine andre Stimme. Alsbald schwammen auf den Rasenflächen lauter kleine wandernde Inseln farbiger Kleider. Doch einige der Zuschauer blieben sitzen.

›Major und Mrs. Mayhew‹, notierte Page, der Reporter, und leckte seinen Bleistift. Was das Stück betraf, würde er sich diese Miss Dingsda angeln und sie um eine Zusammenfassung bitten. Aber Miss La Trobe war nirgends zu sehen.

Unten, hinter dem Gebüsch, werkte sie wie eine Wilde. Da stand Flavinda im Unterrock. Die Vernunft hatte ihren Mantel auf eine Stechpalmenhecke gehängt. Sir Spaniel zerrte an seinen Schaftstiefeln. Miss La Trobe warf Kleidungsstücke beiseite, suchte nach andern.

»Der viktorianische Mantel mit den Perlfransen... Wo ist das verdammte Ding? Schmeißen Sie's her... Jetzt den Backenbart...«

Sich immer wieder hochreckend, ließ sie ihr helles Vogelauge über die Büsche weg aufs Publikum spähen. Das Publikum war in Bewegung; schlenderte hin und her; hielt Abstand vom Garderoberaum; respektierte die Konventionen; aber wenn diese Leute zu weit weg gerieten, wenn sie sich den ganzen Besitz anzusehen begännen, wenn sie das Haus besichtigten, dann... Tschack, tschack, tschack, ging die Maschine. Die Zeit verstrich. Wie lange würde die Zeit sie alle zusammenhalten? Es war Glückssache; konnte gefährlich werden... Und energisch rührte sie sich und schleuderte Gewänder aufs Gras.

Über das Gebüsch her verirrten sich Stimmen; körperlose Stimmen, symbolische Stimmen schienen sie ihr zu sein, die sie nur halb hörte, ohne etwas zu sehen, aber doch über das Gebüsch weg unsichtbare Fäden die körperlosen Stimmen verbinden fühlte.

»Es sieht alles sehr düster aus.«

»Niemand will ihn, den Krieg, – nur diese verdammten Deutschen.«

Es folgte eine Pause.

»Ich würde die Bäume dort fällen...«

»Wie sie es nur anstellen, daß ihre Rosen so gedeihen!«

»Es heißt, daß seit fünfhundert Jahren ein Garten hier bestanden hat...«

»Sogar Gladstone hat seinerzeit, wenn man gerecht sein will...«

Dann Stille. Die Stimmen waren an dem Gebüsch vorbei. Die Bäume säuselten. Viele Augen – Miss La Trobe wußte das, denn jede Zelle in ihrem Körper war aufnahmebereit – blickten auf die Aussicht. Aus dem Augenwinkel konnte sie ›Hogbens Narretei‹ sehen; dann blinkte die Wetterfahne auf.

»Das Barometer fällt«, sagte eine Stimme.

Miss La Trobe konnte spüren, wie ihr die Leute, während sie so auf die Aussicht blickten, durch die Finger schlüpften.

»Wo ist diese verdammte Person, Mrs. Rogers? Hat niemand Mrs. Rogers gesehen?« rief sie, griff heftig nach einem viktorianischen Mantel und hielt ihn hoch.

Dann erschien, die Konventionen unbeachtet lassend, ein Kopf zwischen den schwankenden Zweigen: der Kopf Mrs. Swithins.

»O Miss La Trobe!« rief sie aus und verstummte. Dann begann sie abermals: »O Miss La Trobe, ich gratuliere Ihnen!«

Sie zögerte. »Sie haben mir...« Sie übersprang, landete dann – »Schon als Kind hab' ich immer gefühlt...« Ein Schleier fiel über ihre Augen, schloß die Gegenwart aus. Sie versuchte, sich ihre Kindheit zurückzurufen; gab es dann auf; und mit einem kleinen Schwenken der Hand, als bäte sie Miss La Trobe, ihr auszuhelfen, setzte sie fort: »Das tägliche Einerlei; die Treppe hinauf und hinunter; sich zu fragen: ›Was will ich denn eigentlich holen? Meine Brille? Ich hab' sie doch auf der Nase...‹«

Sie starrte Miss La Trobe mit einem wolkenlosen Greisinnenblick an. Die Augen der beiden begegneten einander in einem gemeinsamen Bemühen, ein gemeinsam Gemeintes zu gebären. Es gelang ihnen nicht; und Mrs. Swithin, die verzweifelt einen Zipfel dessen, was sie meinte, faßte, sagte: »Was für eine kleine Rolle ich zu spielen hatte! Aber Sie haben mir das Gefühl gegeben, ich hätte... Kleopatra spielen können!«

Sie nickte bekräftigend und wackelte zwischen den schwankenden Büschen davon.

Die Dörfler blinzelten einander zu. ›Spinnert‹ war das Wort für die alte Swithin, wie sie so durchs Gebüsch brach.

»Ich hätte – Kleopatra sein können«, wiederholte Miss La Trobe. »Du hast in mir meine ungespielte Rolle auferweckt, das meinte sie.«

»Also jetzt hinein in das Kleid, Mrs. Rogers!« sagte sie.

Mrs. Rogers stand grotesk in ihren schwarzen Strümpfen da. Miss La Trobe zog ihr die voluminösen Falbeln des Viktorianischen Zeitalters über den Kopf. Sie knüpfte die Gürtelbänder. ›Du hast an den unsichtbaren Saiten gezupft‹, das war's, was die alte Dame gemeint hatte; und hatte – ausgerechnet – Kleopatra zum Vorschein gebracht! Ein Triumphgefühl ergriff sie. Ah, sie war nicht bloß eine Zupferin an individuellen Saiten; sie war eine, die schweifende Körper und schwebende Stimmen in einem Kessel sott und aus der amorphen Masse eine neugeschaffene Welt aufsteigen ließ. Ihr großer Augenblick – ihr Triumph – war gekommen.

»So!« sagte sie, als sie die schwarze Schleife unter Mrs. Rogers' Kinn geknüpft hatte. »Das wär's jetzt! Und nun den Herrn. Hammond!«

Sie winkte Hammond heran. Dämlich kam er vorwärts und unterzog sich der Anbringung schwarzer Bartkoteletten. Die Augen halb geschlossen, den Kopf zurückgeneigt, sah er, fand sie, wie König Artus aus – edel, ritterlich, schlank.

»Wo ist der alte Gehrock des Majors?« fragte sie und vertraute auf dessen Wirkung, ihn zu verwandeln.

Tick, tick, tick, tickte die Maschine weiter. Die Zeit verging. Die Zuschauer wanderten umher, zerstreuten sich. Nur das Ticken des Grammophons hielt sie zusammen. Dort, einsam, weit weg, an den Blumenbeeten hinschlendernd, entwischte soeben Mrs. Giles.

»Musik, Musik!« befahl Miss La Trobe. »Schnell, schnell! Die nächste Platte! Nummer zehn!«

»Nun mag ich sie wohl pflücken«, murmelte Isa, eine Rose abbrechend, »die einzige Blume mein. Die weiße oder die rote? Und sie so halten zwischen Daum' und Finger ...«

Sie suchte unter den vorbeikommenden Gesichtern nach dem des Mannes in Grau. Dort war er für eine Sekunde; aber umgeben, unzugänglich. Und nun war er verschwunden.

Sie ließ ihre Blume fallen. Welches einzelne, gesonderte Blatt könnte sie festhalten? Keins, und auch nicht allein bei den Beeten umherirren. Sie mußte weitergehn; und sie wandte sich den Stallungen zu.

›Wohin wandre ich?‹ sinnierte sie. ›Welche zugige Stollen entlang? Durch die der Wind fährt, der augenlose. Wo nichts fürs Auge wächst. Keine Rose. Um hinauszugelangen wohin? Auf ein braches, bleiches Feld, über das keine Abenddämmerung ihren Mantel sinken läßt; über dem keine Sonne aufgeht. Alles ist dort einerlei. Die Rosen dort blühen nicht, wachsen nicht. Veränderung gibt es dort keine; auch nichts Wandelbares und Liebenswertes; kein Willkommen und keinen Abschied; kein verstohlenes Einanderfinden und -empfinden, eine Hand die andere und Aug' vor Auge Zuflucht suchend.‹

Sie war jetzt im Stallhof, wo die Hunde angekettet waren; wo die Tränkeimer standen; wo der große Birnbaum seine

Leiter von Ästen an die Mauer lehnte. Der Baum, dessen Wurzeln sich unter die Steinfliesen streckten, war schwer von harten grünen Birnen. Während sie eine befingerte, murmelte sie: »Wie bin ich beschwert damit, was sie aus der Erde zogen; Erinnerungen; Besitztümern. Dies ist die Last, die von der Vergangenheit mir auferlegte, mir, dem letzten kleinen Esel in der langen Karawane, die durch die Wüste zieht. ›Knie nieder‹, sagte die Vergangenheit. ›Füll deinen Korb von unserm Baum! Steh auf, Eselchen! Geh deinen Weg, bis deine Fersen Blasen und deine Hufe Risse bekommen!‹«

Die Birne war hart wie Stein. Isa sah auf die gesprungenen Fliesen hinunter, unter denen die Wurzeln sich ausbreiteten. ›Das war die Last‹, sann sie, ›die mir in der Wiege auferlegte; von Wellen gemurmelt; von rastlosen Ulmen gesäuselt; von einschläfernd singenden Frauen gesummt; was wir in der Erinnerung behalten müssen; was wir vergessen möchten.‹

Sie hob den Blick. Die vergoldeten Zeiger der Stalluhr wiesen unbeugsam auf zwei Minuten vor der vollen Stunde. Die Uhr würde sogleich schlagen.

»Nun kommt der Blitz«, stammelte sie, »aus dem steinblauen Himmel. Die Riemen, von den Toten geknüpft, sind geborsten. Losgelöst sind unsre Besitztümer.«

Stimmen unterbrachen. Leute gingen über den Stallhof.

›Es ist ein guter Tag, sagen einige, der Tag, an dem wir von allem entblößt werden. Andre, daß es das Ende des Tags ist. Sie sehen schon die Herberge und den Wirt. Aber keiner spricht mit einer einfachen Stimme. Keiner mit einer Stimme, die frei ist von den alten Schwingungen. Immer hör ich korruptes Gemurmel; das Geklimper von Gold und Metall. Musik des Wahnsinns...‹

Noch mehr Stimmen erklangen. Die Zuschauer strömten

zu der Terrasse zurück. Isa raffte sich zusammen. Sie sprach sich Mut zu: ›Vorwärts, kleines Eselchen! Stolpere geduldig weiter! Hör nicht auf die rasenden Schreie der Führer, die, indem sie uns zu führen trachten, uns im Stich lassen. Auch nicht auf das Geplapper der Porzellangesichter, der glasierten und harten. Hör lieber auf den Schäfer, der an der Hofmauer hustet; auf den abgestorbenen Baum, der seufzt, wenn der Reiter galoppiert; den Tumult in dem Kasernenzimmer, als sie sie nackt auszogen; oder den Schrei, der, wenn ich in London das Fenster öffne, soeben irgendwoher ertönt...‹

Sie war auf den Weg gelangt, der am Glashaus vorbeiführte. Die Tür wurde mit dem Fuß aufgestoßen. Heraus kamen Mrs. Manresa und Giles. Unbemerkt folgte ihnen Isa über die Rasenflächen zu der ersten Sitzreihe.

Das Tschack-tschack-tschack des Grammophons im Gebüsch hatte aufgehört. Auf Befehl Miss La Trobes war eine andre Platte aufgelegt worden. Nummer zehn: ›Londoner Straßenrufe. Ein Potpourri.‹

»Lavendel kauft, süßen Lavendel kauft! Wer kommt und kauft meinen süßen Lavendel?« trillerte und trällerte die Melodie, trieb unwirksam die Zuschauer zusammen. Manche beachteten sie nicht. Manche wanderten noch immer umher. Andre hielten inne, aber blieben stehn, wo sie waren. Einige, wie Oberst und Mrs. Mayhew, die ihre Plätze nicht verlassen hatten, brüteten über dem verwischten Durchschlag, der zum besseren Verständnis ausgegeben worden war.

»Das neunzehnte Jahrhundert.« Oberst Mayhew bestritt nicht das Recht des Regisseurs, zweihundert Jahre in weniger als zehn Minuten zu überspringen, aber die Auswahl der Szenen machte ihn stutzen.

»Warum die britische Armee weglassen? Was ist die Geschichte ohne die Armee, wie?« grübelte er. Den Kopf neigend, hielt Mrs. Mayhew ihm entgegen, daß man schließlich nicht zuviel verlangen dürfe. Überdies gäbe es wahrscheinlich als Abschluß ein großes Ensemble um die Flagge. Mittlerweile war da die Aussicht. Sie blickten auf die Aussicht.

»Süßen Lavendel... süßen Lavendel...« Während sie die Melodie mitsummte, schob die alte Mrs. Lynn Jones (vom Bühel) einen Sessel vorwärts. »Hier, Etty«, sagte sie und setzte sich schwerfällig neben Etty Springett, mit der sie sich, da sie nun beide verwitwet waren, in ein Haus teilte.

»Ich erinnere mich...« nickte sie im Takt zu der Melodie, »und du erinnerst dich gewiß auch – wie sie das immer auf den Straßen riefen.« Sie erinnerten sich beide – wie die Gardinen flatterten und die Männer riefen: »Alles in Blüte, alles von erster Güte«, wenn sie mit Geranien und Büschelnelken in Töpfen die Straße entlangkamen.

»An eine Harfe erinnere ich mich und an ein Hansom und an einen Vierradler ohne Pneus. So still war die Straße damals. Zwei Pfiffe für ein Hansom, war's nicht so? Einen für einen ›Rumpler‹? Und Ellen, die in Häubchen und Schürze unten auf der Straße pfiff? Erinnerst du dich? Und die Laufburschen, meine Liebe, die einem den ganzen Weg vom Bahnhof her folgten, wenn man einen Koffer hatte.«

Die Melodie änderte sich. ›Altes Eisen, wer hat altes Eisen zu verkaufen?‹ – »Erinnerst du dich? Das war's, was die Männer im Nebel schrien. Von Seven Dials kamen sie. Männer mit roten Schnupftüchern. Garrottierer, wurden sie nicht so genannt? Damals konnte man nicht – o du meine Güte, nein! – zu Fuß vom Theater nach Hause gehn. Regent Street. Piccadilly. Hyde Park Corner. Die schlechten Frauenzimmer… Und überall ganze Laibe Brot im Rinnstein. Die Irländer, weißt du noch, rund um Covent Garden… Wenn man von einem Ball heimkam, an der Uhr am Hyde Park Corner vorbei, erinnerst du dich an das Gefühl weißer Glacéhandschuhe? … Mein Vater konnte sich noch erinnern, wie der alte Herzog von Wellington im Park spazierenging. Zwei Finger legte er – so – an den Hut… Ich hab' noch das Album meiner Mutter. Ein Teich und ein Liebespaar. Sie hatte aus Byron abgeschrieben, in einer, wie ich vermute, ›italienisch‹ genannten Handschrift…«

»Was für ein Couplet ist das? ›Unlängst in der Old Kent Road‹? Ich erinnere mich, daß der Bursch, der die Schuhe zu putzen hatte, das pfiff. O meine Liebe, die Dienstboten… Die alte Ellen… Sechzehn Pfund Jahreslohn… Und die vielen Kannen heißen Wassers! Und die Krinolinen! Und die Fischbeinmieder! Erinnerst du dich an den Crystal Palace und die Feuerwerke dort und wie Miras Schuh im Schlamm steckenblieb und nicht mehr zu finden war?«

»Das dort ist die junge Mrs. Giles… Ich erinnere mich ihrer Mutter. Sie ist in Indien gestorben… Wir trugen damals vermutlich eine ganze Menge Unterröcke. Unhygienisch? Das will ich meinen… Nun ja, sehen Sie sich doch nur meine Tochter an. Rechts, gleich hinter Ihnen. Vierzig, aber schlank wie eine Gerte… Jede Wohnung hat ihren Kühlschrank… Es kostete meine Mutter den halben Vormittag, den Speisezettel fürs Dinner zusammenzustellen… Wir waren elf, und wenn man die Dienstboten hinzurechnet, achtzehn in der Familie… Jetzt ruft man einfach die Lebensmittelabteilung im Warenhaus an… Das ist Giles dort, mit

Mrs. Manresa. Sie ist ein Typus, den ich selbst nicht sehr goutiere. Mag unrecht haben... Und Oberst Mayhew, so flott wie immer... Und Mr. Cobbet vom Cobbswinkel, dort, unter der Araukarie. Man sieht ihn nicht oft... Das ist das Hübsche daran – es bringt die Leute zusammen. In diesen Zeiten, wo wir alle so beschäftigt sind, ist grade das nötig... Das Programm? Hast du eins? Laß sehn, was als nächstes kommt... Das neunzehnte Jahrhundert... Schau, dort ist der Chor, die Dörfler, jetzt kommen sie dort zwischen den Bäumen. Aber erst gibt's einen Prolog...«

Eine große Kiste, mit rotem Tuch umhüllt und girlandenartig mit schweren Goldquasten behangen, war in die Mitte der Bühne geschoben worden. Rascheln von Kleidern und Rücken von Stühlen. Die Zuschauer setzten sich hastig, schuldbewußt. Miss La Trobe hatte sie im Auge. Sie gab ihnen zehn Sekunden, ihre Mienen zu sammeln. Dann schwenkte sie die Hand. Eine pompöse Marschmelodie schmetterte los: ›Mutig und mächtig, kühn und prächtig‹, usw. Und abermals tauchte eine monumentale symbolische Gestalt aus dem Gebüsch auf. Budge, der Schankwirt; aber so verkleidet, daß sogar die alten Kumpane, die jeden Abend eins mit ihm tranken, ihn nicht wiedererkannten; und ein fragendes Gekicher, wer es sein könne, lief durch die Sitzreihen der Dörfler. Er trug einen langen schwarzen Mantel mit vielen Radkragen, einen wasserdichten, glänzenden, von der Festigkeit einer Bronzestatue auf dem Parliament Square; einen Helm, der an einen Polizisten gemahnte; eine Reihe Medaillen zog sich über seine Brust. Und in der rechten Hand hielt er den Knüppel eines Spezialkonstablers vorgestreckt (eine Leihgabe Mr. Willerts vom alten Herrenhaus). Was ihn verriet, war seine Stimme, seine heisere, rostige, die aus einem dichten schwarzen Wattebart hervorkam.

»Budge, Budge. Das ist Mr. Budge«, flüsterten die Zuschauer einander zu.

Budge streckte seinen Knüppel vor und sprach:

Is gar nich so leicht, wie Sie vielleicht glauben, den Verkehr zu lenken am 'yde Park Corner. Omnibusse und 'ansoms. Wenn sie alle übers Pflaster gerumpelt und gerattert kommen. Können Sie nicht rechts bleiben? He, Sie dort, 'alt!

(Er schwenkte seinen Knüppel)

Da geht sie über die Straße, die alte Schraube, mit ihrem Schirm schon unter der Pferdenase.

(Der Knüppel wies deutlich auf Mrs. Swithin)

Sie hob ihre hagere Hand, als wäre sie wahrhaftig, einem plötzlichen Impuls folgend, vom Gehsteig hinabgeflattert, zum gerechten Zorn der Obrigkeit. Hat sie schon! dachte Giles, sich auf die Seite der Obrigkeit gegen seine Tante stellend.

Ob schön, ob Regen oder Nebel, ich tu's meine Pflicht (setzte Budge fort). *Auf dem Piccadilly Circus; am 'yde Park Corner. Wo's immer sein mag, lenk' ich den Verkehr des Weltreichs Ihrer Majestät. Der Schah von Persien; der Sultan von Marokko; oder vielleicht gar Ihre Majestät in Person; oder Cooks Touristen; Schwarze; Weiße; Matrosen, Soldaten; die über den Ozean 'ergefahren sind, um Ihrer Majestät Weltreich zu bezeugen; sie alle ohne Ausnahme ge'orchen den Weisungen meines Knüppels.*

(Er schwenkte ihn großartig hin und her)

Aber damit sind meine Pflichten noch nicht zu Ende. Ich nimm unter meinen Schutz und Schirm die Sittenreinheit und Sicherheit aller Lieblinge Ihrer Majestät; in allen Teilen ihres 'errschafts-

bereichs; sorg' dafür, daß sie den Gesetzen Gottes und der Menschen ge'orchen.

Den Gesetzen Gottes und der Menschen (wiederholte er und tat, als zöge er eine Gesetzesrolle zu Rat; vertiefte sich in ein Pergamentblatt, das er nun mit großem Bedacht aus seiner hinteren Hosentasche zum Vorschein gebracht hatte).

Kirchgang am Sonntag; Montags Punkt neun den Bus in die City. Am Dienstag vielleicht eine Versammlung im Rathaus zur Seelenrettung der Sünder; am Mittwoch bei einer andern, einem Bankett – Schildkrötensuppe. Vielleicht weil in Irland keine Ruh; 'ungersnot, Revolutionäre, was weiß ich, was noch dazu. Am Donnerstag sind's die Eingeborenen von Peru, die Protektion und Korrektion brauchen; wir geben ihnen, was ihnen gebührt. Aber wohlgemerkt, unsre 'errschaft endet da noch nicht. Es ist ein christliches Land, unser Weltreich; unter der weißen Königin Viktoria. Über Gesinnung und Religion, Trinken, Kleidung und Sitten, auch die Ehe, schwing' ich meinen Knüppel. Prosperität und Respektabilität gehn, wie wir wissen, stets 'and in 'and. Wer ein Weltreich be'errscht, muß mit einem Aug' auf die Wiege sehn; mit dem andern in die Küche spähn; in den Salon; in die Bibliothek; wo immer einer oder zwei, ich und du, zusammenkommen. Sittenreinheit unser Losungswort; Prosperität und Respektabilität unsre Parole. Wenn nicht – na, dann sollen sie schmoren in ...

(Er hielt inne – nein, er hatte seinen Text nicht vergessen) *Whitechapel, Cripplegate, St. Giles, den Minories. Mögen sie in den Bergwerken schwitzen; an den Webstühlen 'usten; rechtens ihr Los erdulden. Das ist der Preis eines Weltreichs; das ist des weißen Mannes Bürde. Und ich kann Ihnen sagen, den Verkehr ordentlich zu lenken, auf dem Piccadilly Circus meinen Knüppel zu schwenken, ist eines weißen Mannes Ganztagsbeschäftigung.*

Er hielt inne. Imponierend, dominierend starrte er von seinem Piedestal herab. Eine Prachtgestalt von einem Mann, darüber waren sich alle einig, wie er so, sein Knüppel monstrant, sein Wasserdichter pendent, dastand. Es hätte nur eines Regenschauers, eines Schwarms um sein Haupt flatternder Tauben und des Geläuts der Glocken von St. Paul und der Westminsterabtei bedurft, um ihn in das getreue heraldische Abbild eines viktorianischen Polizisten zu verwandeln und das Publikum in einen nebeligen Londoner Nachmittag und unter dem Glöckchengebimmel des Teekuchenverkäufers und dem Schall von Kirchenglocken auf den Höhepunkt viktorianischer Prosperität zu entrücken.

Es folgte eine Pause. Die Stimmen des singenden Pilgerzugs, der sich zwischen den Bäumen hindurchwand, waren zu hören; die Worte aber blieben unhörbar. Die Zuschauer saßen und warteten.

»Na, na, na«, ereiferte sich Mrs. Lynn Jones, »es gab große Männer damals...« Sie wußte nicht warum, doch irgendwie fühlte sie, daß eine Verhöhnung auf ihren Vater gemünzt worden war; und daher auf sie selbst.

Etty Springett na-na-te auch. Dennoch, Kinder hatten wirklich Grubenhunte in Bergwerken gezogen; es hatte diese Kellergeschoßwohnungen gegeben; und geschiedene Damen waren bei Hof nicht empfangen worden. Wie schwierig, da zu einem Schluß zu kommen. Sie wünschte, die dort würden sich mit der nächsten Szene beeilen. Wenn sie aus dem Theater kam, wußte sie gern ganz genau, was es alles bedeutet hatte. Freilich war das hier nur Dorftheater... Eine neue Szenerie wurde um die rot drapierte Kiste herum aufgebaut... Sie las aus ihrem Programm vor:

»Das Picknick. Zeit: um 1860. Schauplatz: Das Ufer eines Weihers. Personen –« Sie verstummte. Ein Leintuch war auf der Terrasse ausgebreitet worden. Offenbar der Weiher. Roh gemalte Wellenlinien stellten Wasser dar. Diese grünen Stäbchen dort waren Binsen. Recht hübsch schossen wirkliche Schwalben über das Leintuch hin.

»Schau nur, Minnie!« rief sie aus. »Das sind wirkliche Schwalben.«

»Pst, pst«, wurde sie zurechtgewiesen, denn die Szene hatte begonnen. Ein junger Mann in Spangenhosen und mit Bartkoteletten, einen Stock mit Eisenspitze in der Hand, erschien am Rand des Weihers.

EDGAR TH. *Lassen Sie mich Ihnen helfen, Miss Hardcastle! So!*

(Er hilft Miss Eleanor Hardcastle, einer jungen Dame in Krinoline und Heinzelmännchenhut, auf die Anhöhe hinauf. Sie stehn da einen Augenblick, ein wenig atemlos, und betrachten die Aussicht.)

ELEANOR *Wie klein die Kirche dort unten zwischen den Bäumen aussieht!*

EDGAR *Also dies ist der Quickborn, der Treffpunkt.*

ELEANOR *Ach, bitte, Mr. Thorold, beenden Sie doch, bevor die andern kommen, was Sie sagen wollten. Sie sagten grade: ›Unser Ziel im Leben …‹*

EDGAR *Sollte es sein, unsern Mitmenschen zu helfen.*

ELEANOR (mit einem tiefen Seufzer) *Wie wahr – welch tiefe Wahrheit!*

EDGAR *Warum dieser Seufzer, Miss Hardcastle? – Sie haben sich keinerlei Vorwurf zu machen – Sie, die Sie Ihr ganzes Leben damit verbringen, andern zu dienen. An mich, an mich selbst habe ich dabei gedacht. Ich bin nicht mehr jung. Mit vierundzwanzig sind die besten Tage des Lebens vorbei. Mein Leben ist vergangen* (er schleudert einen Kiesel auf den Teich) *wie ein Wellchen im Wasser.*

ELEANOR O *Mr. Thorold, Sie kennen mich nicht. Ich bin nicht, was ich zu sein scheine. Auch ich –*

EDGAR *Sagen Sie mir nicht, Miss Hardcastle, – nein, ich kann es nicht glauben – Sie, Sie haben gezweifelt?*

ELEANOR *Dem Himmel sei Dank, das nicht, das nicht... Aber sicher und geborgen, wie ich es bin, immer daheim, behütet, wie Sie mich sehen, wie Sie mich glauben. Oh, was sage ich da? Aber ja doch, ich will die Wahrheit aussprechen, bevor Mama kommt. Auch mich hat es danach verlangt, die Heiden zu bekehren.*

EDGAR *Miss Hardcastle... Eleanor... Sie führen mich in Versuchung! Darf ich die Frage wagen? Nein – so jung, so schön, so unschuldig! Überlegen Sie gut, ich beschwöre Sie, bevor Sie antworten!*

ELEANOR *Ich habe überlegt – auf den Knien!*

EDGAR (einen Ring aus der Westentasche ziehend) *Dann also... Meine Mutter befahl mir mit ihrem letzten Atemzug, diesen Ring nur einer zu geben, für die ein ganzes Leben in der afrikanischen Wildnis, unter den Heiden –*

ELEANOR (den Ring ergreifend) – *höchste Glückseligkeit wäre! Aber still!* (den Ring in ihre Tasche gleiten lassend) *Hier kommt Mama!* (Sie fahren auseinander)

(Mrs. Hardcastle tritt auf, eine dicke Dame in schwarzem Bombasin, auf einem Esel reitend, der von einem ältlichen Herrn mit Jägerhut geführt wird.)

Mrs. H. *So seid ihr uns zuvorgekommen, ihr jungen Leute? Es gab eine Zeit, Sir John, da Sie und ich stets die ersten auf dem Gipfel waren. Jetzt aber...*

(Er hilft ihr beim Absitzen. Kinder, junge Männer, junge Mädchen treten auf, einige mit geflochtenen Tragtaschen, einige mit Schmetterlingsnetzen, andre wieder mit Fernrohren und einige mit Botanisiertrommeln. Ein Plaid wird am Seeufer ausgebreitet, und Mrs. H. und Sir John setzen sich auf Feldstühle.)

Mrs. H. *Also, wer will nun die Teekessel füllen? Wer will dürres Reisig sammeln?* (zu einem kleinen Jungen) *Alfred, laufe nicht umher und jage nicht den Schmetterlingen nach, oder du wirst dich krank machen... Sir John und ich werden die Picknickkörbe auspacken, hier, wo das Gras verbrannt ist, wo wir letztes Jahr das Picknick hatten.*

(Die jungen Leute zerstreuen sich nach allen Seiten. Mrs. H. und Sir John beginnen die Picknickkörbe auszupacken.)

Mrs. H. *Letztes Jahr war der arme, gute Mr. Beach noch mit uns. Es war eine gottgesegnete Erlösung für ihn.* (Sie zieht ein schwarz eingefaßtes Taschentuch hervor und wischt sich die Augen) *Jedes Jahr fehlt eins von uns. Das ist der Schinken... Und das sind die Rebhühner... Und in diesem Päckchen sind die Wildpastetchen...* (Sie verteilt die Eßwaren auf dem Gras) *Wie ich soeben sagte, der arme, gute Mr. Beach... Ich hoffe nur, die Sahne ist nicht geronnen. Mr. Hardcastle bringt den Bordeaux. Das überlasse ich immer ihm. Freilich, wenn Mr. Hardcastle mit Mr. Pigott über die Römer ins Reden kommt... Letztes Jahr gerieten sie fast in Streit... Aber es ist nett für Herren, ein Steckenpferd zu haben, wenn sich auch sehr viel Staub auf ihnen sammelt –*

auf diesen Schädeln und Versteinerungen und solchen Dingen... Aber wie ich sagte – der arme, gute Mr. Beach... Ich wollte Sie nämlich fragen (sie senkt die Stimme), *als einen Freund der Familie wollte ich Sie über den neuen Geistlichen fragen – man kann uns doch wohl nicht hören, nicht wahr? Nein, alle sind sie mit Reisigsammeln beschäftigt... Letztes Jahr war's so eine Enttäuschung! Grade als wir alles ausgepackt hatten – begann es zu regnen. Aber ich wollte Sie etwas fragen über den neuen Geistlichen, den, der als Nachfolger des armen, guten Mr. Beach hergekommen ist. Wie ich höre, ist sein Name Sibthorp. Wahrhaftig, ich hoffe, ich irre mich nicht, denn ich hatte einen Vetter, der heiratete ein Mädchen dieses Namens, und da Sie ein Freund der Familie sind, brauchen wir doch nicht auf Förmlichkeiten zu bestehn... Und wenn man Töchter hat – ich beneide Sie wahrhaftig, der Sie nur eine Tochter haben, Sir John, – ich habe vier! Darum wollte ich Sie bitten, mir im Vertrauen zu sagen, ob dieser junge Sibthorp – wenn er wirklich so heißt – denn ich muß Ihnen gestehn, vorgestern sagte unsre Mrs. Potts zufällig, als sie uns die Wäsche brachte und dabei am Pfarrhaus vorbeigekommen war, daß dort soeben die Möbel abgeladen wurden; und was, glauben Sie, sah sie oben auf dem Kleiderschrank? Eine Teehaube! Aber natürlich kann sie sich getäuscht haben... Doch mir fiel dabei ein, ich könnte Sie als einen Freund der Familie im Vertrauen fragen: Ist Mr. Sibthorp beweibt?*

Hier begann ein Chor von Dörflern, mit viktorianischen Mänteln, Bartkoteletten und Zylinderhüten ausgestattet, vierstimmig zu singen:

Oh, ist Mr. Sibthorp beweibt? Oh, ist Mr. Sibthorp beweibt? Das ist der Floh im Ohr, die Hummel unterm Hut, der Korken-

zieher im Kork und der Bohrer im Bewußtsein. Dies Wirbeln und Zwirbeln bringt ununterbrochen die Falten des Mutterherzens zum Flattern; denn eine Mutter, mit Töchtern gesegnet, im daunengeschwellten Familienerbstück gezeugten, die muß wohl fragen: ›Oh, packte er aus nebst Gebetbuch und Beffchen, Spazierstock und Schlafrock und Angelrute und Schnur, nebst der Schrotflinte und dem Familienalbum, oh, packte er aus des ehelichen Teetisches reputierliches Merkmal, die Haube bestickt mit Jelängerjelieber? Ist Mr. Sibthorp beweibt? Oh, ist Mr. Sibthorp beweibt?

Während dieser Chor gesungen wurde, versammelten sich die Picknickenden. Korke knallten. Schinken, Rebhühner und gewöhnliche Hühner wurden in Stücke geschnitten. Münder mampften; Gläser wurden geleert. Nichts war zu hören außer dem Malmen von Kiefern, dem Klirren von Glas.

»Sie aßen nicht wenig in jenen Zeiten«, bemerkte Mrs. Lynn Jones flüsternd zu Mrs. Springett. »Alles, was wahr ist! Und mehr als gut für sie war, möcht' ich behaupten.«

MR. HARDCASTLE (mit einem Taschenbürstchen Fleischbröselchen aus seinen Bartkoteletten entfernend) *Und nun…*

»Und nun was?« flüsterte Mrs. Springett, die noch mehr Travestie vorherzusehen glaubte.

… nun, da wir den inneren Menschen befriedigt haben, wollen wir auch den Hunger des Geistes stillen. Ich wende mich an die jungen Damen, es möge eine uns ein Lied singen.

CHOR DER JUNGEN DAMEN *Oh, nicht ich… nicht ich… ich könnt' wirklich nicht… Nein, du herzloses Ding du, du weißt doch, ich hab' meine Stimme verloren… Ich kann nicht ohne Begleitung singen…* usw.

Chor der jungen Herren *Ach, Larifari! Laßt uns ›Des Sommers letzte Rose‹ hören! Oder singt uns...*

Mrs. H. (gebieterisch) *Eleanor und Mildred werden jetzt ›Ach, wär' ich doch ein Schmetterling!‹ singen.*

(Eleanor und Mildred stehn gehorsam auf und singen ein Duett: ›Ach, wär' ich doch ein Schmetterling!‹)

Mrs. H. *Habt Dank, habt Dank, ihr lieben Mädchen. Und nun, meine Herren – unser Vaterland!*

(Arthur und Edgar singen: ›Rule Britannia‹)

Mrs. H. *Schönen Dank, meine Herren. Mr. Hardcastle –*

Mr. Hardcastle (aufstehend und dabei seinen fossilen Fund umklammernd) *Laßt uns beten!*

(Die ganze Gesellschaft erhebt sich)

»Das ist zuviel, zuviel des Guten!« protestierte Mrs. Springett.

Mr. H. *Allmächtiger Gott, Spender aller guten Dinge, wir danken dir; für Speise und Trank; für die Schönheiten der Natur; für den Verstand, mit dem du uns begabt hast.* (Er fummelt mit seinem Fossil) *Und für dein großes Geschenk des Friedens. Gewähre uns, deine Diener zu sein hier auf Erden; gewähre uns, das Licht zu verbreiten deines...*

Hier gerieten die Hinterviertel des Esels, dargestellt von Albert, dem Dorftrottel, in Tätigkeit. War es Absicht oder Zufall? »Seht nur den Esel! Seht nur den Esel!« Ein Gekicher übertönte Mr. Hardcastles Gebet; und dann hörte man ihn sagen:

... eine glückliche Heimkunft, den Körper erfrischt von deiner Freigebigkeit und den Geist erleuchtet von deiner Weisheit. Amen.

Sein Fossil vor sich hertragend, marschierte Mr. Hardcastle von der Bühne. Der Esel wurde eingefangen; Eßkörbe wurden aufgeladen; und die Picknicker begannen, sich zu einem Zug zu formieren und über den Hügel zu verschwinden.

EDGAR (mit Eleanor den Zug beschließend) *Die Heiden zu bekehren!*

ELEANOR *Unsern Mitmenschen zu helfen!*

(Die Schauspieler verschwanden ins Gebüsch)

BUDGE *Zeit ist's, meine 'erren! Zeit ist's, meine Damen! Zeit, zusammenzupacken und 'eimzugehn. Von 'ier, wo ich stehe, meinen Knüppel in der 'and, und wache über Respektabilität und Prosperität und die Sittenreinheit von Viktorias Land, seh' ich's vor mir, das 'eim* (er wies hin – und dort stand Pointz Hall; und die Krähen krächzten und der Rauch ringelte sich). *O trautes 'eim!*

Das Grammophon übernahm die Melodie: *Stolze Paläste und rauschende Feste* usw. ... *Es gibt keinen Ort wie das Heim.*

BUDGE *'eim, meine 'erren, 'eim, meine Damen! Zeit ist's, zusammenzupacken und 'eimzugehn. Seh' ich nicht schon das Feuer* (er wies hin: eine Fensterscheibe flammte rot) *immer stärker lodern? In Küche und Kinderzimmer, Salon und 'errenzimmer? Das Feuer des 'eimischen 'erds. Und siehe da, unsre Jane bringt schon den Tee. Nun, Kinder, wo sind die Spielsachen? Mama, geschwind nimm dein Strickzeug zur 'and! Denn da* (er wies mit seinem Knüppel auf Cobbet vom Cobbswinkel) *kommt der Brotverdiener, kommt 'eim aus der City, 'eim aus der Bank, 'eim aus Kontor und Laden. ›Mama, eine Tasse Tee! Kinder, versammelt euch um meine Knie! Ich werde euch vorlesen.*

Was soll es sein? Sindbad der Seefahrer? Oder eine schlichte Geschichte aus der 'eiligen Schrift? Und euch die Bilder zeigen? Wie, das wollt ihr nicht? Dann 'erbei mit dem Baukasten! Wir wollen bauen. Einen Wintergarten? Ein Laboratorium? Ein Technikum? Oder soll's ein Turm werden? Mit unsrer Flagge auf der Spitze? Wo unsre verwitwete Königin nach dem Tee die königlichen Waisen um ihre Knie versammelt?‹ Denn es ist das 'eim, meine Damen, das 'eim, meine 'erren. Und sei es noch so bescheiden, es gibt keinen Ort wie das 'eim!

Das Grammophon trällerte ›O trautes Heim‹, und Budge stieg, ein wenig schwankend, von seiner Kiste hinunter und ging hinter dem Zug drein von der Bühne ab.

Es folgte wieder eine Pause.

»Oh, aber es war doch wunderschön«, beteuerte Mrs. Lynn Jones. Das Heim, meinte sie; das lampenhelle Zimmer; die rubinroten Vorhänge; und wie Papa vorlas.

Der Weiher wurde zusammengerollt, und die Binsen wurden entwurzelt. Wirkliche Schwalben flitzten über wirkliches Gras. Sie aber sah noch immer das Heim vor sich.

»Es war...« wiederholte sie und meinte das Heim.

»Billig und garstig«, sagte Etty Springett bissig und meinte das Stück und schoß einen giftigen Blick auf William Dodges grüne Hose, gelbgetüpfelte Krawatte und aufgeknöpfte Weste.

Mrs. Lynn Jones aber sah noch immer das Heim vor sich. Hatte nicht, sann sie, während Budges mit rotem Tuch bespanntes Postament weggerollt wurde, das Heim etwas – nicht Unreines, das war nicht das richtige Wort – aber vielleicht etwas ›Unhygienisches‹? Wie ein schimmlig gewordenes Stück Fleisch, mit Backenbart, wie die Dienstboten das nannten? Oder warum war es sonst zugrunde gegangen? Die Zeit ging weiter wie die Zeiger der Küchenuhr. (Das Ding im Gebüsch ticktickte.) Wenn sie auf keinen Widerstand gestoßen wären, so sann sie, wenn nichts schiefgegangen wäre, gingen sie noch immer rundum und rundum. Das Heim wäre geblieben, was es gewesen war; und Papas Bart, dachte sie, wäre gewachsen und gewachsen; und Mamas Strickerei – was hatte sie nur mit dem vielen Gestrickten getan? Eine Veränderung hatte kommen müssen, sagte sie sich, oder Papas Bart und Mamas Strickarbeit wären meilenlang geworden. Heute ging ihr Schwiegersohn glattrasiert. Ihre Tochter besaß einen Kühlschrank... Du meine Güte, wie meine Gedanken wandern! gebot sie sich Einhalt. Was sie meinte, war, daß eine Veränderung kommen muß, wenn nicht alles vollkommen ist; in welchem Fall, so vermutete sie, es der Zeit widersteht. Der Himmel ist unveränderlich.

»Waren die Menschen damals wirklich so?« fragte Isa unvermittelt. Sie blickte auf Mrs. Swithin, als wäre die ein Dinosaurus oder ein kleines, ein sehr kleines Mammut. Ausgestorben, das mußte sie sein, da sie doch schon in der Regierungszeit Königin Viktorias gelebt hatte.

Tick, tick, tick, ging die Maschine im Gebüsch.

»Die Viktorianer«, sinnierte Mrs. Swithin. »Ich glaub' nicht«, sagte sie mit ihrem wunderlichen leisen Lächeln, »daß es je solche Menschen gegeben hat. Nur dich und mich und William, anders gekleidet.«

»Oh, Sie haben keinen Geschichtssinn«, entgegnete der.

Die Bühne blieb leer. Die Kühe bewegten sich auf der Wiese. Die Schatten unter den Bäumen waren dunkler geworden.

Mrs. Swithin liebkoste ihr Kreuzchen. Sie sah mit leeren Augen auf die Aussicht. Offenbar hatte sie, so errieten die andern, schon wieder eine Rundreise der Phantasie angetreten – eine alles verneinende. Schafe, Kühe, Gras, Bäume, wir selbst – alle sind sie eins. Obgleich nicht zusammenstimmend, doch Harmonie hervorbringend – wenn nicht für uns, so für ein riesenhaftes, zu einem riesenhaften Kopf gehörendes Ohr. Und daher ist – sie lächelte mild – die Qual des Schafs, der Kuh, des Menschen im einzelnen notwendig; und auf diese Weise – sie lächelte seraphisch die vergoldete Wetterfahne in der Ferne an – gelangen wir zu dem Schluß, daß *alles* eine einzige Harmonie ist – wenn wir sie hören könnten. Und wir werden sie hören. Ihre Augen ruhten jetzt auf dem weißen Gipfel einer Wolke. Na schön, wenn dieser Gedanke ihr Trost gab, lächelten William und Isa einander über sie hinweg zu, mochte sie ihn nur haben.

Tick, tick, tick, wiederholte die Maschine.

»Versteht ihr, worauf sie hinaus will?« fragte Mrs. Swithin, die sich plötzlich wieder auf Erden niederließ. »Miss La Trobe, meine ich.«

Isa, deren Blicke umhergeschweift waren, schüttelte den Kopf.

»Aber Sie könnten dasselbe von Shakespeare behaupten«, sagte Mrs. Swithin zu William.

»Shakespeare und die Glasharmonika!« mischte sich Mrs. Manresa ein. »Du meine Güte, wie Sie alle mir das Gefühl geben, was für eine Barbarin ich bin!«

Sie wandte sich Giles zu. Sie erflehte seinen Beistand gegen diesen Angriff auf das muntere Menschenherz.

»Ach woher!« brummelte Giles.

Nicht das geringste erschien auf der Bühne.

Pfeile von rotem und grünem Licht schossen aus den Ringen auf Mrs. Manresas Fingern hervor. Er blickte von ihnen auf Tante Lucy. Von ihr auf William Dodge. Von ihm auf Isa. Die weigerte sich, seinen Augen zu begegnen. Und er sah hinunter auf seine blutbefleckten Tennisschuhe.

Er sagte (ohne Worte): ›Ich fühle mich verdammt unglücklich.‹

›Auch ich‹, echote Dodge.

›Und auch ich‹, dachte Isa.

Sie waren alle eingefangen und eingekäfigt; Häftlinge, die einem Schauspiel zusahen. Nichts geschah. Das Ticken des Grammophons war zum Wahnsinnigwerden.

»Vorwärts, Eselchen«, murmelte Isa, »das du die Wüste durchquerst... deine Bürde trägst...«

Sie fühlte Dodges Blick auf sich, als sie die Lippen bewegte. Immer kroch irgendein kaltes Auge über die Oberfläche wie eine winterliche Brummfliege! Sie schnippte ihn weg.

»Wie lange die brauchen!« rief sie gereizt aus.

»Wieder eine Pause«, sagte Dodge, der im Programm nachgesehen hatte.

«Und danach was?« fragte Lucy.

»Gegenwart. Wir selbst...« las er vor.

»Hoffen wir zu Gott, daß das das Ende ist«, brummte Giles.

»Jetzt sind aber Sie unartig«, wies Mrs. Manresa ihren kleinen Jungen zurecht, ihren mürrischen Helden.

Niemand rührte sich. Da saßen sie alle, der leeren Bühne, den Kühen, den Wiesen und der Aussicht gegenüber, während die Maschine im Gebüsch weitertickte.

»Was«, fragte Bartholomew, sich plötzlich aufraffend, »ist der Zweck dieser Lustbarkeit?«

»Der Reingewinn«, las Isa aus ihrem verwischten Durchschlag vor, »wird einem Fonds zur Einleitung des elektrischen Lichts in die Kirche zufließen.«

»Alle unsre Dorffestivitäten«, schnaubte Mr. Oliver, sich Mrs. Manresa zuwendend, »enden mit einer Geldforderung.«

»Selbstverständlich, selbstverständlich«, murmelte sie, seine strenge Härte abschwächend, und die Münzen in ihrem Handtäschchen klimperten.

»Nichts geschieht in England unentgeltlich«, setzte der alte Mann fort. Mrs. Manresa widersprach. Es mochte vielleicht auf die Viktorianer zutreffen, doch gewiß nicht auf uns selbst. Glaube sie wirklich, daß wir uneigennützig seien? wollte Mr. Oliver wissen.

»Oh, Sie kennen meinen Mann nicht!« rief das wilde Naturkind aus und gab sich eine Pose.

Bewundernswerte Frau! Man konnte ihr zutrauen, daß sie, wenn die Stunde schlüge, krähen würde wie eine Weckeruhr; stehnbliebe wie ein altes Omnibuspferd, wenn die Glokke bimmelt. Aber Mr. Oliver sagte nichts. Mrs. Manresa hatte ihr Spieglein hervorgezogen und befaßte sich mit ihrem Gesicht.

Aller Nerven waren zum Zerreißen gespannt. Preisgegeben saßen sie da. Die Maschine tickte. Keine Musik erklang. Von der Landstraße war das Hupen von Autos zu hören. Und das Rauschen von Bäumen. Sie alle, wie sie hier saßen, waren weder das eine noch das andre: weder Viktorianer noch sie selbst. Sie hingen in der Luft, ohne Dasein, in der Vorhölle. Tick, tick, tick, ging die Maschine.

Isa rückte auf ihrem Sessel hin und her, blickte nach rechts und links über die Schulter.

»Vierundzwanzig Amseln saßen in einer Reih'...« murmelte sie.

»Herab kam ein Vogel Strauß, ein Adler, ein Henker.

›Wer von euch‹, so fragte er, ›ist reif schon und bereit zum Backen in meiner Pastete?

Wer von euch ist reif schon, wer von euch ist bereit?

Komm, mein hübsches Herrchen,

Komm, mein hübsches Dämchen‹...«

Wie lange würde diese Person sie alle noch warten lassen?

›Gegenwart. Wir selbst.‹ Das lasen sie in dem Programm. Und lasen, was danach kam: ›Der Reingewinn wird einem Fonds zur Einleitung elektrischen Lichts in die Kirche zufließen.‹ Wo war die Kirche? Dort drüben. Man konnte den Spitzturm zwischen den Bäumen sehen.

›Wir selbst...‹ Sie wandten sich wieder dem Programm zu. Aber was konnte die schon über uns selbst wissen? Über die Elisabethaner – ja; die Viktorianer – vielleicht; aber über uns selbst? Die wir hier sitzen, an einem Junitag des Jahres 1939 – lächerlich! ›Mich selbst‹ – es war einfach unmöglich. Über andre vielleicht... Cobbet vom Cobbswinkel; den Major; den alten Bartholomew; Mrs. Swithin – die alle vielleicht. Aber mich wird sie nicht erwischen – nein, mich nicht! Die Zuschauer wurden unruhig. Aus dem Gebüsch klang Gelächter. Aber nicht das geringste erschien auf der Bühne.

»Worauf läßt sie uns denn warten?« fragte Oberst Mayhew reizbar. »Sie brauchen sich doch nicht zu kostümieren, wenn's die Gegenwart ist.«

Mrs. Mayhew war völlig seiner Meinung. Wenn das Ganze nicht etwa mit einem großen Finale enden würde. Das Heer; die Flotte; die Flagge; und im Hintergrund vielleicht – Mrs. Mayhew skizzierte, wie sie es gemacht hätte, wenn es *ihr* Festspiel gewesen wäre, – die Kirche. Aus Pappe. Ein Fenster, das nach Osten gehende, hell erleuchtet, als Symbol für – das könnte sie sich ausdenken, wenn es dahin käme.

»Dort steht sie, hinter dem Baum«, flüsterte sie, auf Miss La Trobe weisend.

Miss La Trobe stand dort, die Augen auf ihr Manuskript gerichtet. ›Nach Vic.‹, hatte sie geschrieben, ›versuch zehn Min. Gegenwart. Schwalben, Kühe usw.‹ Sie hatte sie alle sozusagen der gegenwärtigen Wirklichkeit aussetzen, sie mit ihr überschütten wollen. Aber etwas ging schief bei dem Experiment. »Wirklichkeit ist zu stark«, murmelte sie. »Der Teufel hol' sie alle!« Sie fühlte alles mit, was die Zuschauer fühlten. Ein Publikum war was Verteufeltes. Oh, ein Stück zu schreiben für kein Publikum – *das* Stück! Aber hier stand sie nun ihrem Publikum gegenüber. Mit jeder Sekunde entschlüpfte es der Schlinge immer mehr. Ihre kleine List war mißlungen. Wenn sie wenigstens einen Hintergrundprospekt hätte, um ihn zwischen die Bäume zu hängen – um die Kühe, die Schwalben, die Gegenwart auszuschließen! Aber sie hatte nichts. Musik hatte sie verboten. Mit den Fingernägeln über die Rinde kratzend, verwünschte sie das Publikum. Panischer Schrecken befiel sie. Blut schien aus ihren Schuhen zu fließen. Dies ist der Tod, der Tod, der Tod, vermerkte sie am Rand ihres Geistes: wenn die Illusion versagt. Unfähig, auch nur die Hand zu heben, stand sie dem Publikum gegenüber.

Und dann kam der Regenguß herab, plötzlich, reichlich.

Niemand hatte die Wolke sich nähern sehen. Da hing sie nun, schwarz, geschwollen, genau über ihren Köpfen. Herab, herab strömte es, als weinten alle Menschen der Welt. Tränen, Tränen, Tränen.

»Oh, fände doch unser Menschenleid allhier ein Ende!« murmelte Isa. In die Höhe blickend, erhielt sie zwei große Regentropfen mitten ins Gesicht. Sie sickerten ihr die Wangen hinunter, als wären es ihre eignen Tränen. Doch es waren die Tränen aller Menschen, die um alle Menschen weinten. Hände hoben sich. Dort und da öffnete sich ein Sonnenschirm. Der Regen war jäh und allumfassend. Dann hörte er auf. Dem Gras entstieg eine erdige Frische.

»Der hat's geschafft«, seufzte Miss La Trobe erleichtert und wischte die Tropfen von ihren Wangen. Wieder einmal hatte die Natur ihre Rolle gespielt. Das Wagnis, im Freien zu spielen, war gerechtfertigt. Sie schwenkte ihr Manuskript. Musik begann – A.B.C., A.B.C. Die Melodie war denkbar einfach. Aber jetzt, da der Regenschauer herabgekommen war, war es die andre Stimme, die sprach, die Stimme, die niemands Stimme war. Und die Stimme, die endloses Menschenleid beweinte, sagte:

Der König sitzt in seinem Comptoir
Und zählt dort seine Schätze,
Die Königin in ihrem Boudoir...

»Oh, fände mein Leben doch allhier ein Ende«, murmelte Isa (sorgsam darauf bedacht, daß ihre Lippen sich nicht bewegten). Bereitwilligst würde sie diese Stimme mit allen ihren eignen Schätzen ausstatten, wenn es nur mit allen Tränen zu Ende sein könnte. Mochte das kleine Klanggebilde ihr ganzes Selbst haben! Auf dem Altar der regendurchnäßten Erde brachte sie ihr Opfer dar...

»Oh, seht doch!« rief sie aus.

Da war eine Leiter. Und das dort (ein roh bemaltes Tuch) war eine Mauer. Und dies hier war ein Mann mit einem Mörteltrog auf dem Rücken. Mr. Page, der Reporter, leckte seinen Bleistift und notierte: ›Mit den sehr beschränkten ihr zur Verfügung stehenden Mitteln veranschaulichte Miss La Trobe der Zuschauerschaft die in Trümmern liegende Zivilisation (die Mauer); von neuem aufgebaut (siehe den Mann mit der Mörteltrage) durch menschliche Anstrengung (siehe auch Frau, die ihm Ziegel reicht). Jeder Dummkopf kann das erfassen. Nun tritt ein Schwarzer in gekrauster Perücke auf; do. Kaffeebrauner mit silbernem Turban; sie bedeuten vermutlich den Völkerbund...‹

Lebhafter Applaus begrüßte diesen schmeichelhaften Tribut für uns selbst. Einen krassen, plumpen zwar. Aber sie hatte schließlich die Ausgaben niedrig halten müssen. Ein bemaltes Tuch mußte vermitteln, was beide – die *Times* und der *Telegraph* – in ihren Leitartikeln an diesem selben Morgen gesagt hatten.

Das Grammophon summte:

Der König sitzt in seinem Comptoir
Und zählt dort seine Schätze,
Die Königin in ihrem Boudoir
Zur Milch...

Die Melodie hörte mit einmal auf. Dann wechselte sie. Ein Walzer? War es nun ein Walzer? Etwas halb Bekanntes, halb Unbekanntes. Die Schwalben tanzten es. Rund herum und ein und aus flitzten sie. Wirkliche Schwalben. Wippend im Tanz sich und schwippend. Und die Bäume, oh, die Bäume, wie ernst und gesetzt, gleich beratenden Senatoren oder ebenmäßig aufragenden Pfeilern einer Kathedrale... Ja, sie gaben der Musik die Taktstriche und häuften und horteten; und hinderten das Fließende am Überfließen. Die Dorfschwalben – oder waren es Mauerschwalben? – die tempelbewohnenden Mauerschwalben, die kommen, die immer gekommen sind... Ja, auf der Mauer hockend, schienen sie vorauszusagen, was schließlich die *Times* gestern gesagt hatten. Es werden Heimstätten gebaut werden. Jede Wohnung mit ihrem Kühlschrank in der Wandnische. Jeder von uns ein freier Mensch; das Geschirr von einer Maschine gewaschen; kein Flugzeug, das uns belästigt; alle befreit; ganzgemacht...

Die Musik änderte sich; knallte, riß ab, zackte. Ein Foxtrott? Oder Jazz? Jedenfalls warf der Rhythmus die Beine hoch, schlug hinten aus, schnappte ab. Was für ein Klappern und Klimpern! Na ja, bei den Mitteln, die ihr zur Verfügung standen, durfte man nicht zuviel verlangen. Was für ein kakophonisches Gekackel! Nichts beendet. So abrupt. Und korrupt. So mißtönend; so verhöhnend. Und nicht klar. Doch sehr zeitgemäß fürwahr. Worauf lief's hinaus? Worauf war sie aus? Alles zerschlagen? Nach nichts zu fragen? Holpern und stolpern? Rucken und zucken? Foppen und feixen? Nasen drehen? Schielen und spähen? Oh, die Ehrfurchtslosigkeit einer Generation, die nur augenblicklang – Gott sei

Dank – ›die junge‹ ist! Die junge, die nichts errichten kann, nur vernichten kann; die die alte Vision zerknittert; was ganz war, zu Atomen zersplittert. So ein Quasseln, so ein Rasseln, so ein Yaffel – wie die Dörfler den Grünspecht nennen, den Lachvogel, der von Baum zu Baum flitzt.

Schaut! Dort kommen sie hervor aus dem Gebüsch – das Gesindel. Kinder? Kobolde, Irrwische, Dämonen. Und halten was? Blechkannen? Kerzenleuchter? Alte Einmachgläser? Meine Liebe, das ist doch der Drehspiegel aus dem Pfarrhaus! Und dieser Handspiegel – den hab' *ich* hergeliehen. Gehörte meiner Mutter. Gesprungen. Was ist der Sinn? Irgend etwas, das hell genug ist, um zu spiegeln, vermutlich uns selbst?

Uns selbst! Uns selbst!

Hervor sprangen sie, hüpften sie, hopsten sie. Blinkend, blendend, tanzend, kreiselnd. Nun den alten Bartholomew... eingefangen. Nun die Manresa... Hier eine Nase, dort einen Frauenrock... Dann nur eine Hose... Nun vielleicht ein Gesicht... Wir selbst? Aber das ist grausam. Uns zu erwischen, wie wir sind, bevor wir Zeit hatten, uns zu... Und obendrein nur teilweise... Das ist's, das wirkt so verzerrend und verstörend und ist völlig ungerecht.

Fletschend und quetschend und tänzelnd und schwänzelnd flitzten und blitzten die Spiegel, knüllten, enthüllten. Leute in den hintern Reihen standen auf, um den Spaß besser sehen zu können. Setzten sich wieder, selber eingefangen... Was für eine entsetzliche Bloßstellung! Sogar für die Alten, denen, so durfte man doch annehmen, nichts mehr an ihren Gesichtern lag... Und, du guter Gott! das Geklimper, der Klamauk! Sogar die Kühe muhten mit, schwerfällig galoppierend, mit den Schwänzen schlagend. Vernichtet die Verschwiegenheit der Natur, durchbrochen die Schranken, die den Menschen, den Meister, vom Tier trennen sollten. Und dann taten auch die Hunde mit. Von dem Aufruhr erregt, rüttelnd und schüttelnd, kamen sie japsend und tapsend einher! Seht sie an! Und der Hetzhund, der Afghan... seht ihn nur an!

Und noch einmal, in dem Aufruhr, dem nunmehr außer Rand und Band geratenen, seht dort hinter dem Baum Miss Wieheißtsiedoch sie aus dem Gebüsch hervorrufen – oder waren *sie* es, die von selbst hervorbrachen – Königin Elisabeth; Königin Anna; und das Mädel in der Mall; und das Zeitalter der Vernunft; und Budge, der Konstabler. Hier kamen sie. Und die Pilger. Und die Liebespaare. Und die Standuhr. Und der Alte mit dem Bart. Sie alle erschienen wieder. Und überdies deklamierte ein jedes irgendeinen Satz oder ein Bruchstück aus seiner Rolle...

Ich bin nicht (sagte eins) *bei vollem Verstand*... Ein andres: *Die Vernunft bin ich... Und ich? Ich bin der alte Zylinderhut... Heim ist der Jäger, heim von der Jagd... Heim? Wo der Bergmann schwitzt und Jungfernehre roh genotzüchtigt... Sanft und lind wehe du hier, wehe du Wind vom westlichen Meer... Ist das ein Dolch, den ich da vor mir sehe?... Den Käuzchenruf verspottet und der Efeu höhnt, klopf-klopfend an das Fenster... Komm in den Garten zu mir, Liebste, der ewig ich dein... Wo die Raupe ihr Leichentuch webt... Ach, wär' ich doch ein Schmetterling... In deinem Willen ist unser Friede... Papa, nimm das Buch, lies vor ... Horch, hörst du's gellen? Die Hunde bellen, die Bettler...*

Der große Drehspiegel erwies sich schließlich als zu schwer. Der junge Bonthorp konnte trotz seiner ganzen Muskelkraft das verdammte Ding nicht länger umherschleppen. Er blieb stehn. Und das taten sie alle – die Handspiegel, Blechkannen, Spiegelchen aus der Spülküche und solche aus der Sattelkammer und Spiegel in schwerem getriebenem Silberrahmen – alle blieben sie stehn. Und die Zuschauer sahen sich selbst, zwar nicht ganz, aber jedenfalls, wie sie still dasaßen.

Die Zeiger der Uhr waren im gegenwärtigen Augenblick stehngeblieben. Es war das Jetzt. Wir selbst waren es.

So, also darauf war sie aus! Uns bloßzustellen, wie wir sind, hier und jetzt. Alle rückten hin und her, glätteten ihr Gefieder, zierten sich; Hände wurden gehoben; Beine verschoben. Sogar Bartholomew, sogar Lucy wandte sich weg. Alle wichen aus oder schirmten sich ab – bis auf Mrs. Manresa, die, im Spiegel sich selbst die Stirn bietend, ihn als Spiegel benützte: ihren eignen aus dem Handtäschchen zog; sich die Nase puderte; und eine von dem leichten Wind verschobene Locke zurechtstrich.

»Prächtig!« rief der alte Bartholomew. Sie allein bewahrte, ohne sich zu schämen, ihre Identität und sah, ohne mit der Wimper zu zucken, sich selbst ins Gesicht. Seelenruhig färbte sie sich die Lippen.

Die Spiegelträger kauerten dort; boshaft; beobachtend; erwartungsvoll; bloßstellerisch.

»Das sind die dort vorn«, kicherten die hintern Reihen. Und: »Müssen wir uns untätig dieser böswilligen Entwürdigung fügen?« fragte sich die vorderste Reihe. Ein jedes wandte sich seinem Sitznachbar zu, scheinbar um ihm – ach, was ihm grade auf die Zunge kam – zu sagen. Ein jedes versuchte, aus der Sehlinie des neugierig forschenden, beleidigenden Auges zu rücken. Einige schickten sich an wegzugehn.

»Die Vorstellung ist aus, nehme ich an«, murmelte Oberst Mayhew und langte nach seinem Hut. »Auch schon Zeit...«

Aber bevor sie alle noch zu irgendeiner gemeinsamen Schlußfolgerung gelangt waren, machte sich eine Stimme vernehmlich. Wessen Stimme, das erkannte niemand. Sie kam aus dem Gebüsch – eine megaphonische, anonyme, lautsprecherisch behauptende Stimme. Sie sagte:

Bevor wir auseinandergehn, meine Damen und Herren, bevor wir uns trennen... (die schon aufgestanden waren, setzten sich wieder)... *wollen wir in ganz schlichten Worten miteinander reden, ohne Schminke, ohne Wattierung oder Heuchelei. Unterbrechen wir den Rhythmus und vergessen wir den Reim! Und betrachten wir kühl und gelassen uns selbst. Uns selbst, so wie wir sind. Einige knochig, einige fett.* (Die Spiegel bestätigten das.) *Lügner, die meisten von uns. Auch Diebe.* (Die Spiegel hatten nichts dazu zu bemerken.) *Die Armen sind so schlecht wie die Reichen. Vielleicht schlechter. Versteckt euch nicht unter Lumpen! Und laßt nicht unsre gute Kleidung uns beschirmen. Oder, was das anlangt, unsre Buchgelehrsamkeit; oder geschicktes Klimpern auf dem Klavier; oder ebensolches Hinpinseln von Farben. Oder glattweg annehmen, Kindheit umfasse Unschuld. Sehet die Schafe! Oder Liebe umfasse Treue. Sehet die Hunde! Oder weißgewordenes Haar Tugend. Sehet die Kanonenabfeurer und Bombenabwerfer hüben und drüben! Sie tun offen, was wir geheim tun. Nehmt zum Beispiel* (hier verfiel das Sprachrohr in einen kolloquialen Konversationston) *Mr. M.s Bungalow. Eine für immer ruinierte Aussicht. Das ist Mord... Oder Mrs. E.s Lippenstift und blutrote Nägel... Ein Tyrann, vergeßt das nicht, ist ein halber Sklave! Ferner die Eitelkeit Mr. H.s, des Schriftstellers, der auf dem Misthaufen nach Sechspennyruhm scharrt... Und dann die leutselige Herablassung der Dame aus der Herrschaftsvilla – das Gehaben der Oberschicht. Aktien kaufen an der Börse, um sie mit Gewinn zu verkaufen... Oh, wir sind alle gleich! Nehmt zum Beispiel jetzt mich! Entgehe ich meinem eignen Zensurieren durch Entrüstung Simulieren hier im Gebüsch hinterm Laub? Hier haben Sie einen Reim, der zeigt, auch ich habe trotz der Beteuerung und dem Wunsch nach Aufopferung einige sogenannte Erziehung genossen... Seht doch uns selbst, meine Damen und Herren! Und dann die Mauer. Und fragen wir uns, wie diese Mauer, diese mächtige Mauer, die wir, vielleicht fälschlich, Zivilisation nennen, gebaut werden soll für Dauer von* (hier blinkten und blitzen die Spiegel wiederum) *solchem Abfall, solchen Schabseln und Schnipseln wie wir selbst!*

Dennoch, hier stimme ich (mittels des Reims, wohlgemerkt) erhabenere Töne an und freudenvollere – es läßt sich einiges zugunsten unsrer Tierliebe sagen; man sehe auch in der heutigen Zeitung die Parte ›ihres innigstgeliebten Gatten‹; und zugunsten des Impulses, der uns – wohlgemerkt, wenn niemand hersieht – um Mitternacht ans Fenster treibt, um die Bohnenblüte zu riechen; oder der entschlossenen Weigerung eines pusteligen, ungewaschenen armseligen Knirpses in Sandalen, seine Seele zu verkaufen. So etwas gibt's – Sie können's nicht leugnen. Wie? Sie können's nicht erspähen? Alles, was Sie von sich sehen, ist nur Abfall, Schabsel und Schnipsel? Schön, dann hören Sie, was das Grammophon behauptet...

Hier klappte etwas nicht. Die Platten waren durcheinandergeraten. Foxtrott, Süßer Lavendel, Trautes Heim, Rule Britannia – Jimmy, der für die Musik zu sorgen hatte, räumte, reichlich schwitzend, diese alle beiseite und legte die richtige auf – war es Bach, Händel, Beethoven oder Mozart oder kein Berühmter, sondern bloß ein Volkslied? Jedenfalls war es, Gott sei Dank, eine persönliche Stimme nach dem anonymen Geplärr des höllischen Sprachrohrs.

Wie gleitendes Quecksilber, wie magnetisierte Späne vereinten sich die Zerstreuten. Die Musik begann; der erste Ton bedingte einen zweiten; der zweite einen dritten. Dann wurde darunter eine Gegenkraft geboren; dann noch eine. Auf verschiedenen Ebenen strebten sie auseinander. Auf verschiedenen Ebenen schritten wir selbst dahin; die einen Blumen pflückend auf der Oberfläche; die andern hinabsteigend, um mit der Bedeutung zu ringen; alle aber verständig, alle beteiligt. Die ganze Bevölkerung der unermeßlichen Tiefe des Geistes kam herbeigeeilt; aus dem Unbeschützten, dem Unbehäuteten; und die Morgenröte kam; und Himmelsbläue; aus Chaos und Mißklang wurde maßvolle Ordnung; die aber lenkte nicht nur die Melodie oberflächlichen Getöns; auch die miteinander streitenden, auseinanderstrebenden Krieger im Kriegsschmuck. Um sie zu trennen? Nein. Herbeigezwungen von den Fernen des Horizonts, zurückgerufen vom Rand erschrecklicher Schründe, prallten sie aufeinander, verschmolzen, vereinigten sich. Und einige entschränkten ihre Finger und andre entkreuzten ihre Beine.

War diese Stimme wir selbst? Wir Abfall, wir Schabsel und Schnipsel, sind wir also auch diese Stimme? Sie verklang.

Wie ebbende Wellen bloßlegen; wie zerflatternder Nebel enthüllt; wie zurückweichendes Gewässer den alten Stiefel eines Landstreichers sichtbar werden läßt, so sahen sie, die Augen hebend (Mrs. Manresas waren feucht; sekundenlang verheerten Tränen die Puderschicht), einen Mann mit dem Kragen eines Geistlichen verstohlen auf eine Kiste steigen.

›Der Reverend G. W. Streatfield‹, notierte der Reporter, nachdem er seinen Bleistift geleckt hatte, ›hielt sodann eine Ansprache...‹

Alle starrten hin. Was für ein unerträgliches Verengen und Beschränken und Beweisen des vereinfachten Unmöglichen er doch sicherlich war! Von allen inkongruenten Anblicken war der eines Geistlichen in der Livree seines zum Schlußwort verpflichtenden Sklaventums der völlig groteskeste. Er öffnete den Mund. O Herr, beschütze und bewahre uns vor Worten, diesen Schändern, vor Worten, diesen Unreinen! Was braucht es Worte, uns zu gemahnen? Muß ich Thomas sein und du Hanna?

Als wäre unbemerkt eine Krähe auf einen vorragenden kahlen Ast gehüpft, griff er sich an den Kragen und räusperte sich mit einem vorläufigen Krächzer. Eines milderte den Greuel; sein auf die übliche Weise erhobener Zeigefinger war von Tabaksaft verfärbt. Er war schließlich kein so übler Geselle, der Reverend G. W. Streatfield; ein Stück herkömmlichen Kirchenmobiliars; ein Eckschrank in der Sakristei; oder der Oberbalken eines Kirchhoftors, den Generationen von Dorfzimmerleuten nach einem sich im Dunkel fernster Vergangenheit verlierenden Vorbild geformt hatten.

Er blickte auf die Zuhörer; dann hinauf zum Himmel. Die ganze Gesellschaft, Edle und Simple, empfand seinethalben, ihrethalben Verlegenheit. Da stand er, ihr repräsentativer Sprecher; ihr Symbol; sie selbst; eine Zielscheibe des Spotts; ein Erdenkloß, verlacht von den Spiegeln, unbeachtet von den Kühen, verurteilt von den Wolken, die sich weiter majestätisch mit der Neuordnung der himmlischen Landschaft beschäftigten; ein belangloser gegabelter Pflock im majestätischen Fluten der sommerlich stillen Welt.

Seine ersten Worte (der Wind hatte sich verstärkt; die Blätter rauschten) gingen verloren. Dann hörte man ihn sagen: »Welche.« Diesem Wort fügte er ein zweites hinzu: »Botschaft«; und zuletzt kam ein ganzer Satz zum Vorschein. Kein verständlicher; sagen wir lieber, ein hörbarer. »Welche Botschaft«, so schien es, fragte er, »wollte unser Festspiel uns vermitteln?«

Sie alle falteten die Hände auf die herkömmliche Weise, als säßen sie in der Kirche.

»Ich habe mich gefragt« – die Worte wurden nun wiederholt – »welchen Sinn oder welche Botschaft dieses Festspiel uns wohl vermitteln wollte.«

Wenn *er* es nicht wußte, der sich Reverend und auch *magister artium* nannte, wer konnte es dann wissen?

»Als einer aus dem Publikum«, setzte er fort (Worte nahmen nun Sinn an), »will ich in aller Bescheidenheit, denn ich bin« – und er berührte die weiße Planke, die seinen Hals einschloß, mit einem gelben Zeigefinger – »kein Kritiker, meine Auslegung vorbringen. Nein, das ist ein zu kühnes Wort. Die begabte Dame ...« Er blickte umher. Miss La Trobe war nirgends zu sehen. Er setzte fort: »Bloß als einer aus dem Publikum sprechend, bekenne ich, daß ich vor einem Rätsel stand. Aus welchem Grund, fragte ich mich, wurden uns diese Szenen gezeigt? Nur in aller Kürze jedoch. Die Mittel, die uns heute nachmittag zur Verfügung standen, waren beschränkt. Immerhin wurden uns verschiedene Gruppen vorgeführt. Es wurde uns, wenn ich nicht irre, ein stets erneutes Bemühen gezeigt. Einige wenige waren auserwählt; die vielen zogen im Hintergrund an uns vorbei. Das, sicherlich, wurde uns gezeigt. Doch wurde uns nicht auch zu verstehn gegeben – oder bin ich vielleicht zu anmaßend? Trete ich dahin, wo Engel zu wandeln sich scheuen und von wo als ein Tor ich mich fernhalten sollte? Für mich zumindest war da eine Andeutung, daß wir alle untereinander Glieder sind; ein jedes von uns Teil des Ganzen ist. Ja, das fiel mir ein, während ich unter euch im Publikum saß. Erblickte ich nicht Mr. Hardcastle hier« (er wies auf ihn) »einmal als einen Wikinger? Und in Lady Keppeling – entschuldigt mich, wenn ich die Namen verwechsle – eine Canterbury-Pilgerin? Wir agieren verschiedene Rollen, aber bleiben wir nicht dieselben? Das überlasse ich euch. Und dann, während das Stück oder Festspiel seinen Fortgang nahm, wurde meine Aufmerksamkeit abgelenkt. Vielleicht lag auch das in der Absicht der Regisseurin? Ich glaubte wahrzunehmen, daß die Natur ihre Rolle spielt. Dürfen wir es wagen, fragte ich mich, das Leben auf uns selbst zu beschränken? Müssen wir nicht der Meinung sein, daß da ein Geist ist, der inspiriert, alles durchdringt...« (Die Schwalben schwuppten um ihn. Sie schienen davon, was er meinte, Kenntnis zu haben. Dann schwuppten sie außer Sicht.) »Ich überlasse das euch. Ich bin nicht hier, um zu erklären. Diese Rolle wurde mir nicht zugeteilt. Ich spreche nur als einer aus dem Publikum, einer von uns selbst. Auch ich sah mich gespiegelt und, wie es der Zufall wollte, in meinem eignen Spiegel.« (Gelächter) »Abfall, Schabsel und Schnipsel! Gewiß sollten wir uns doch vereinen?

Aber« (›aber‹ bezeichnete einen neuen Absatz) »ich spreche auch noch in einer andern Eigenschaft. Als Schatzmeister des Fonds. In welcher Eigenschaft« (er zog ein Blatt Papier zu

Rat) »ich mich freue, Ihnen mitteilen zu können, daß eine Summe von sechsunddreißig Pfund zehn Schilling und acht Pence durch die Unterhaltung dieses Nachmittags für unseren Zweck aufgebracht wurde, nämlich für die Beleuchtung unserer geliebten alten Kirche.«

›Applaus‹ berichtete der Berichterstatter.

Mr. Streatfield machte eine Pause. Er lauschte. Hörte er irgendeine ferne Musik?

Er setzte fort: »Aber es besteht noch immer ein Defizit« (er zog abermals das Blatt Papier zu Rat) »von rund einhundertfünfundsiebzig Pfund, so daß jeder von uns, der dieses Festspiel genossen hat, noch eine Gele...« Das Wort wurde entzweigeschnitten. Ein Brausen spaltete es. Zwölf Flugzeuge in der tadellosen Formation eines Zugs Wildenten kamen in der Höhe einher. *Das* war die Musik. Die Zuhörer starrten mit offnem Mund hinauf; das Brausen wurde zu einem Dröhnen. Die Flugzeuge waren vorüber.

»...genheit hat«, setzte Mr. Streatfield fort, »einen Beitrag zu leisten.« Er gab ein Zeichen. Sogleich waren Sammelbüchsen in Tätigkeit. Hinter Spiegeln versteckt, kamen sie nun hervor. Kupferstücke klapperten. Silbermünzen klimperten. Aber schade, schade – wie unheimlich einem zumute wurde! Hier kam Albert, der Dorftrottel, und rasselte mit seiner Sammelbüchse, einem Aluminiumkochtopf ohne Deckel. Man konnte es ihm nicht gut abschlagen, dem armen Kerl. Schillinge wurden hineingeworfen. Er rasselte und kicherte; klapperte und schnatterte. Als Mrs. Parker ihren Beitrag leistete, ein Zweieinhalbschillingstück, wie es sich traf, sah sie flehend Mr. Streatfield an, er möge dieses Unheil exorzisieren, seinen priesterlichen Schutz auf sie ausdehnen.

Der gute Mann betrachtete den Trottel mit Wohlwollen. Sein Glaube hatte Raum, so deutete er an, auch für ihn. Auch er, schien Mr. Streatfield zu sagen, ist ein Teil von uns selbst. Aber nicht ein Teil, den wir gern anerkennen, fügte Mrs. Springett wortlos hinzu, als sie ihr Sechspencestück einwarf.

Während er den Trottel betrachtete, hatte Mr. Streatfield den Faden seines Diskurses verloren. Mit seiner Gewalt über Worte schien es vorbei zu sein. Er zwirbelte das Kreuz an seiner Uhrkette. Dann schlich seine Hand zur Hosentasche. Verstohlen zog er ein kleines silbernes Ding hervor. Es war allen klar, daß das natürliche Verlangen des natürlichen Menschen ihn überkam. Er hatte keine Verwendung mehr für Worte.

»Und nun«, begann er wieder und liebkoste den Pfeifenanzünder in seiner hohlen Hand, »zum erfreulichsten Teil meiner Pflicht! Sie alle aufzufordern, Ihren Dank der begabten Dame auszusprechen, die...« Er spähte rundum nach etwas, das dieser Beschreibung entspräche. Nichts solches war sichtbar. »...die, so scheint es, anonym zu bleiben wünscht.« Er machte eine Pause. »Und somit...« Er machte abermals eine Pause.

Es war ein peinlicher Augenblick. Wie nun zu Ende kommen? Wem danken? Jeder Laut in der Natur war peinlich hörbar: das Rauschen der Bäume, das Schlucken einer Kuh; sogar das Gleiten der Schwalben über das Gras war zu hören. Aber niemand sprach. Wen konnten sie verantwortlich machen? Wem konnten sie danken für die Unterhaltung? War denn niemand da?

Dann gab es ein kleines Getümmel hinter dem Gebüsch; ein vorläufiges, vorbereitendes Geräusch. Eine Nadel kratzte, tschack, tschack, tschack, über eine Platte; dann, als sie in die Rille gefunden hatte, erklangen ein Trommelwirbel und eine Fanfare, die ankündigten: *God*… (alle standen auf) *save the King.*

Stehend sahen sich die Zuschauer den Schauspielern gegenüber, die ebenfalls stillstanden mit ihren verstummten Sammelbüchsen, den nun verborgenen Spiegeln und den steif herabhängenden Gewändern ihrer verschiedenen Rollen.

Happy and glorious,
Long to reign over us
God save the King

Die Töne verklangen.

War das der Schluß? Die Schauspieler gingen nur unwillig ab. Sie zögerten, verweilten, mischten sich. Dort plauderte Budge, der Polizist, mit der alten Königin Elisabeth. Und das Zeitalter der Vernunft fraternisierte mit dem Vorderteil des Esels. Und Mrs. Hardcastle glättete tätschelnd die Falten ihrer Krinoline. Und das kleine England, noch immer ein Kind, lutschte ein Pfefferminzplätzchen aus einer Papiertüte. Ein jedes spielte noch: den ungespielten Teil der Rolle, die ihm sein Kostüm auferlegte. Schönheit umhüllte, Schönheit enthüllte alle. War es das Licht, was das bewirkte? Das zarte, das schwindende, das nicht neugierige, aber eindringliche Licht des Abends, das Tiefen in Wasser enthüllt und sogar den Bungalow aus Rohziegeln erstrahlen läßt?

»Schaut«, flüsterten die Zuschauer, »schaut doch, schaut – « Und abermals applaudierten alle; und die Schauspieler reichten einander die Hände und verneigten sich.

Die alte Mrs. Lynn Jones seufzte, während sie nach ihrem Handtäschchen griff: »Wie schade – *müssen* sie sich umkleiden?« Aber es war Zeit, zusammenzupacken und heimzugehn.

›Heim, meine Herren; heim, meine Damen. Zeit, zusammenzupacken und heimzugehn!‹ pfiff der Reporter und ließ das Band um sein Notizbuch schnappen.

Mrs. Parker bückte sich. »Ich fürchte, mir ist mein Handschuh hinuntergefallen. Tut mir schrecklich leid, Sie zu bemühen. Dort unten, zwischen den Sesseln…«

Das Grammophon behauptete in Tönen, die keinen Widerspruch duldeten, triumphierend und doch verabschiedend: *Zerstreut sind wir, die wir zusammenkamen. Aber*, mahnte das Grammophon, *laßt uns bewahren, was immer diese Harmonie bewirkte!*

O laßt uns, echoten die Zuhörer (während sie sich bückten, spähten, fummelten) beisammenbleiben! Denn es liegt Freude, eine süße Freude in Gemeinsamkeit.

Zerstreut sind wir, wiederholte das Grammophon.

Und die Zuschauer, die sich umwendeten, sahen die flammenden Fenster ein jedes mit goldenem Sonnenlicht bestäubt; und murmelten: »Heim, meine Herren. Ins traute Heim…« und verweilten doch noch einen Augenblick, sahen durch die goldene Verklärung vielleicht einen Sprung im Kessel; vielleicht ein Loch im Teppich; und hörten vielleicht den täglichen Plumps der täglichen Rechnungen.

Zerstreut sind wir, teilte ihnen das Grammophon mit. Und verabschiedete sie. Und so, sich zum letzten Mal streckend, griff ein jedes nach etwas, es mochte ein Hut sein oder ein Spazierstock oder ein Paar Wildlederhandschuhe, und applaudierte zum letzten Mal Budge und der Königin Elisabeth; den Bäumen; der weißen Landstraße; dem Münster von

Bolney; und der ›Narretei‹. Eins rief dem andern zu, und sie zerstreuten sich über die Rasenflächen, die Wege entlang, am Haus vorbei, zu dem Halbrund von Kies, wo die Autos, Fahrräder und Motorräder zusammengedrängt standen.

Bekannte begrüßten einander im Vorübergehn.

»Ich finde«, sagte jemand, »Miss Wieheißtsiedoch hätte vortreten und es nicht dem Pfarrer überlassen sollen... Schließlich und endlich war sie es, die's geschrieben hat... Ich fand es brillant geistreich...Oh, meine Liebe, ich fand es den größten Blödsinn. Haben *Sie* verstanden, worum es ging? Nun ja, er sagte, sie meine, wir alle spielen alle Rollen... Er sagte auch, wenn ich ihn richtig verstand, daß die Natur mitspielt... Und dann dieser Dorftrottel... Aber warum, wie mein Mann sagte, wenn's Geschichte ist, warum die Armee weglassen? Und wenn doch das Ganze von einem einzigen Geist beseelt ist, was war's mit den Flugzeugen?... Ach, aber du bist zu anspruchsvoll. Es war doch nur Liebhabertheater auf dem Land... Was mich betrifft, so finde ich, es hätte ein Wort des Danks den Hauseigentümern gebührt. Als *wir* unser Festspiel hatten, erholte sich der Rasen nicht vor dem Herbst ... Aber wir hatten auch Zeltbuden...Der dort, Cobbet vom Cobbswinkel, ist der Mann, der immer alle Preise auf allen Ausstellungen gewinnt. Ich für mein Teil bin keine Bewundrerin von preisgekrönten Blumen oder Hunden...«

Zerstreut sind wir, frohlockte und zugleich wehklagte das Grammophon. *Zerstreut sind wir*...

»Aber bedenkt«, so schwatzten alte Freundinnen, »daß sie das Ganze mit sehr wenig Geld machen mußten. Und es ist so schwierig, die Leute um diese Jahreszeit zum Proben zu bekommen. Da ist das Heuen, vom Kino ganz zu schweigen

... Wir brauchen einen Mittelpunkt, ein Lokal, das uns alle zusammenbringt... Die Brookes sind nach Italien gefahren, trotz allem. Ziemlich unvorsichtig, nicht?... Wenn es zum Ärgsten kommen sollte – hoffen wir, daß nicht, – würden sie ein Flugzeug mieten, haben sie gesagt... Was mich belustigt hat, war, wie der alte Streatfield nach seinem Tabaksbeutel tastete. Ich hab's gern, wenn ein Mann sich natürlich gibt, nicht immer von einem Piedestal herab... Und dann diese Stimmen aus dem Gebüsch... Orakel? Sie meinen die Griechen? Waren die Orakel – ich will damit nichts Unehrerbietiges sagen – nicht ein Vorgeschmack unsrer eignen Religion? Und die ist?... Kreppsohlen? Die sind so vernünftig... Viel haltbarer und gesünder für die Füße... Aber was ich sagen wollte: Vermag der christliche Glaube sich anzupassen? In Zeiten wie diesen... In Larting geht niemand mehr zur Kirche... Die Hunderennen, die Kinos... Es ist merkwürdig, daß die Wissenschaft, so sagt man mir, alles (sozusagen) vergeistigt... Der allerjüngsten Anschauung nach, so heißt es, gibt es nichts Festes... Hier, zwischen den Bäumen hindurch, können Sie einen Blick auf die Kirche tun...«

»Mr. Umphelby! Wie nett, Sie zu treffen! Sie müssen einmal kommen und mit uns zu Abend essen... Nein, leider, wir müssen nach London zurück. Die Parlamentssitzungen... Ich hab' ihnen grade erzählt, die Brookes sind nach Italien gefahren. Sie haben den Vulkan gesehen. Höchst eindrucksvoll, so schreiben sie – haben Glück gehabt – während eines Ausbruchs... Ich bin ganz Ihrer Meinung – es sieht schlimmer denn je aus auf dem Kontinent. Und was ist schon der Ärmelkanal, wenn man's bedenkt, falls die eine Invasion vorhaben? Die Flugzeuge – ich hab's lieber nicht sagen wollen, brachten einen auf Gedanken... Nein, ich fand es viel zu bruchstückhaft. Nehmen Sie den Dorftrottel! Hat sie etwas sozusagen Verborgenes gemeint, das Unbewußte, wie man das nennt? Aber warum immer Sexuelles hineinbringen?... Es ist wahr, in einem gewissen Sinn sind wir, zugegebenermaßen, noch Wilde. Diese Frauen mit rotlackierten Nägeln! Und sich zu kostümieren – was ist das? Der Urmensch in uns, vermutlich... Da läutet jetzt die Kirchenglocke. Bim, bam, bim... Eine recht heisere alte Glocke... Und diese Spiegel! Uns uns selbst vorzuhalten... Ich fand es grausam. Man kommt sich so lächerlich vor, so schutzlos erwischt... Dort ist Mr. Streatfield, geht vermutlich die Abendandacht halten. Er wird sich beeilen müssen, oder er wird sich nicht mehr umkleiden können... Er sagte, sie meinte, jeder von uns spiele irgendeine Rolle... Ja, aber in wessen Stück?... Ah, das ist eben die Frage! Und wenn wir uns am Schluß Fragen stellen, ist es dann nicht ein Mißerfolg gewesen als Stück? Ich gestehe, ich möchte, wenn ich ins Theater gehe, gern sicher sein, das Stück auch verstanden zu haben... Oder war es vielleicht das, was sie meinte?... Bim, bam, bim... Daß, wenn wir nicht vorschnell Schlüsse ziehen, wenn Sie nachdenken und ich nachdenke, daß wir dann vielleicht eines Tags, indem wir Verschiedenes denken, dasselbe denken werden?«

»Dort geht der gute alte Mr. Carfax... Können wir Sie nicht mitnehmen, wenn Sie nichts dagegen haben, sich ein bißchen dünn zu machen? Wir haben uns soeben einiges gefragt, Mr. Carfax, über das Stück. Diese Spiegel etwa – sollten die ausdrücken, daß der Widerschein der Traum ist? Und die Melodie – Bach oder Händel oder gar keine bestimmte – die Wahrheit? Oder umgekehrt?«

»Meiner Treu, was für ein Wirrwarr! Niemand scheint seinen Wagen unter den andern zu erkennen... Darum hab' ich auf meinem eine Maskotte, ein Äffchen, – kann's aber nirgends sehen... Während wir warten, sag mir – bei dem Regenguß, hast du da das Gefühl gehabt, jemand weint über uns alle? Es gibt ein Gedicht, *Tränen, Tränen, Tränen*, so beginnt es, und dann weiter: *Oh, so wird der entfesselte Ozean...* an das übrige kann ich mich nicht erinnern...«

»Aber als Mr. Streatfield sagte, ein einziger Geist beseele das Ganze – da kamen die Flugzeuge dazwischen. Das ist das Unangenehme bei Freiluftaufführungen... Außer, sie meinte eben das... Mein Gott, die Parkiermöglichkeiten sind nicht grade, was man ausreichend nennen könnte... Ich hätte mir auch nicht so viele Hispano-Suizas erwartet... Das hier ist ein Rolls... das dort ein Bentley... Das ist die neue Fordtype... Um auf den Sinn des Stücks zurückzukommen – bedeuten Maschinen etwas Teuflisches, oder bringen sie einen Mißklang hinein... Bim, bam, bim... und erreichen wir dadurch das letzte... Bim, bam... Da ist der Wagen mit dem Äffchen... Steigen Sie ein... Und leben Sie wohl, Mrs. Parker... Rufen Sie uns doch an! Nächstes Mal, wenn wir hier sind, vergessen Sie nicht... Nächstes Mal... Nächstes Mal...«

Die Räder knirschten auf dem Kies. Einer nach dem andern fuhren die Wagen ab.

Das Grammophon gurgelte: *Vereintsein – Zerstreutsein.* Es gurgelte: *Ver... Zer...* Und verstummte.

Die kleine Gesellschaft, die beim Mittagessen zusammengekommen war, blieb auf der Terrasse zurück. Die Pilger hatten eine breite Spur im Gras hinterlassen. Und der Rasen müßte gründlich gesäubert werden. Morgen würde das Telephon klingeln: »Hab' ich nicht mein Handtäschchen liegenlassen?... Eine Brille, in einem roten Lederfutteral?... Eine kleine alte Brosche, für niemand sonst von Wert als für mich?« Morgen würde das Telephon klingeln.

Jetzt sagte Mr. Oliver: »Meine liebe...« und ergriff Mrs. Manresas behandschuhte Hand und drückte sie, als wollte er sagen: ›Sie haben mir gegeben, was Sie mir jetzt nehmen.‹ Er hätte gern noch einen Augenblick länger diese Smaragde und Rubine gehalten, die, wie die Leute behaupteten, von dem mageren Ralph Manresa in seinen Stromertagen ausgegraben worden waren. Aber leider hatte das Licht des Sonnenuntergangs kein Mitgefühl mit der Schminke auf ihrem Gesicht; die sah aufgelegt aus, nicht ›tief einverwoben‹. Und er ließ ihre Hand los; und sie zwinkerte ihm kokett und schelmisch zu, als wollte sie sagen – aber das Ende dieses Satzes wurde abgeschnitten. Denn sie hatte sich umgewendet, und Giles trat auf sie zu; und der leichte Wind, von der Wettervorhersage angekündigt, ließ ihren Kleidsaum flattern; und so schritt sie dahin, einer Göttin gleich, einer heiteren, gebefreudigen, und Gefangene in Blumenketten folgten ihr nach.

Alle zogen sie sich zurück und entfernten sich und zerstreuten sich; und er blieb allein mit der erkalteten Asche und keiner Glut, keiner Glut mehr in dem Scheit. Welches Wort konnte das Verzagen seines Herzens ausdrücken, das Verströmen in seinen Adern, als, von Giles eskortiert, die sich entfernende Mrs. Manresa, diese wunderbare, ganz aus Empfinden bestehende Frau, den Flickenwurstel aufschlitzte und das Sägemehl aus seinem Herzen ausrinnen ließ?

Der alte Mann stieß einen kehligen Laut aus und wandte sich nach rechts. Nur weiter gehumpelt, nur weiter gehinkt, da doch der Tanz vorbei! Er schlenderte allein an den Bäumen entlang. Hier war es gewesen, heute vormittag, daß er die Welt des kleinen Jungen zerstörte. Er war mit einer Zeitung hervorgesprungen; das Kind hatte geweint.

Unten in der Mulde, jenseits des Wasserrosenteichs, kleideten sich die Schauspieler um. Er konnte sie zwischen den Brombeersträuchern sehen. In Weste und Hose; beim Aufhaken; Zuknöpfen; auf allen vieren; wie sie Kleidungsstücke in billige Handkoffer stopften; und Silberschwerter, Bärte und Smaragde auf dem Gras umherlagen. Miss La Trobe in Jacke und Rock – einem zu kurzen, denn ihre Waden waren dick – kämpfte mit einer sich bauschenden Krinoline. Er mußte auf die Konventionen Rücksicht nehmen. Also blieb er neben dem Teich stehn. Das Wasser über dem Schlamm war undurchsichtig.

Dann fragte Lucy, die hinter ihm herankam: »Sollten wir ihr nicht danken?« Sie tätschelte ihm den Arm.

Wie wenig wahrnehmungsfähig ihre übergroße Religiosität sie doch machte! Die Schwaden jenes Weihrauchs verdunkelten das menschliche Herz. Nur die Oberfläche streifend, gewahrte sie die Schlacht im Schlamm unten nicht. Nachdem Miss La Trobe von den Ausdeutungen des Pfarrers, von den Textverstümmelungen und -mißhandlungen der Schauspieler gepeinigt worden war... »Sie ist nicht neugierig auf unsern Dank, Lucy«, sagte er brummig. Was sie wollte, gleich diesem Karpfen (etwas bewegte sich im Wasser), war Dunkelheit im Schlamm; ein Whisky-und-Soda im Wirtshaus; und Kraftwörter, die wie Larven durchs Wasser hinabsanken.

»Danke den Schauspielern, nicht der Verfasserin«, sagte er. »Oder uns, dem Publikum.«

Er blickte über die Schulter zurück. Die alte Dame, die erbeingesessene, prähistorische, wurde von einem Lakaien hinweggerollt. Er fuhr sie durch den Torbogen. Nun war niemand mehr auf dem Rasen. Die Dachkante, die aufragenden Schornsteine schnitten hart und rot in das Blau des Abends. Das Haus tauchte wieder auf; das Haus, das ausgelöscht gewesene. Er war verdammt froh, daß es alles vorbei war – das Gehaste und Gehetze, die Ringe und das Rouge. Er bückte sich und richtete eine Päonie auf, deren Blütenblätter abgefallen waren. Einsamkeit war wiedergekommen. Und Vernunft. Und lampenerhelltes Papier... Aber wo war sein Hund? In einem Zwinger? Angekettet? Die Äderchen in seinen Schläfen schwollen vor Zorn. Er pfiff. Und da kam auch schon, von Candish freigelassen, sein Hund, ein Schaumflöckchen auf der Schnauze, auf ihn zugerannt.

Lucy sah noch immer auf den Wasserrosenteich. »Alle weg«, murmelte sie, »unter die Blätter.« Erschreckt von vorübergleitenden Schatten, hatten die Fische sich zurückgezogen. Sie blickte in das Wasser. Gewohnheitsmäßig streichelte sie ihr Kreuzchen. Doch ihre Augen durchsuchten das Wasser, blickten nach den Fischen aus. Die Wasserrosen schlossen ihre Blüten; die rote, die weiße, eine jede auf ihrem Blätterteller. In der Höhe strich die Luft dahin; unten war Wasser. Wie sie so ihr Kreuzchen streichelte, stand sie zwischen zwei Arten von Fließendem. Der Glaube verlangte stundenlanges Knien am frühen Morgen. Oft wurde sie von Entzücken verführt, das Auge abschweifen zu lassen – zu einem Sonnenstrahl, einem Schatten. Jetzt gemahnte das zackige Blatt im Winkel sie an Europa. Da waren noch andre Blätter. Sie ließ das Auge über die Oberflächen flattern, benannte Blätter Indien, Afrika, Amerika. Inseln der Geborgenheit, schimmernde, dicht belaubte.

»Bart...« sagte sie zu ihm. Sie hatte ihn wegen der Libelle fragen wollen – sei es nicht möglich, daß der blaue Faden, wenn wir ihn hier vernichten, sich dort niederlasse? Aber ihr Bruder war schon ins Haus gegangen.

Da bewegte sich etwas hier im Wasser: ihr Lieblings-Schleierschwanz. Die Goldorfe hinterdrein. Dann erhaschte ihr Blick etwas Silberiges – den großen Karpfen selbst, der so selten an die Oberfläche kam. Sie glitten zwischen den Stengeln dahin, rosig, golden, gesprenkelt, gestreift, gefleckt.

»Wir selbst«, murmelte sie. Und ein Glimmern von Gläubigkeit aus dem grauen Gewässer wiedererlangend, folgte sie den Fischen mit dem Blick; den gepunkteten, gestreiften, gefleckten; sah in diesem Anblick Schönheit, Macht und Herrlichkeit in uns selbst.

Fische sind gläubig, überlegte sie. Sie vertrauen uns, weil wir sie nie gefangen haben. Doch ihr Bruder würde antworten: ›Aus Freßgier.‹ ›Sie besitzen Schönheit!‹ beteuerte sie. ›Geschlechtsmerkmale‹, würde er sagen. ›Wer bewirkt, daß Geschlechtlichkeit für Schönheit empfänglich ist?‹ wendete sie ein. Er würde die Achseln zucken: Wer? Warum? Zum Schweigen gebracht, kehrte sie zu ihrer geheimen Vision zurück; von Schönheit, die Güte war; von dem Meer, auf dem wir dahintrieben. Zumeist undurchdringlich, doch gewiß hatte jedes Boot manchmal ein Leck?

Er trüge die Fackel der Vernunft vor sich her, bis sie im Dunkel der Höhle erlöschen würde. Was sie selbst betraf, so beschützte sie kniend ihre Vision jeden Morgen. Jeden Abend öffnete sie das Fenster und blickte auf Blätter, die sich gegen den Himmel abzeichneten. Dann schlief sie. Dann weckten sie die regellosen Strähne von Vogelstimmen.

Die Fische waren an die Oberfläche gekommen. Sie hatte nichts, was sie ihnen geben konnte – kein Krümel Brot. »Wartet, meine Herzchen«, sprach sie sie an. Sie wollte ins Haus und von Mrs. Sands ein Keks verlangen. Da fiel ein Schatten. Und weg flitzten sie. Wie verdrießlich! Wer war es? Ach Gott, der junge Mann, dessen Namen sie vergessen hatte; nicht Jones; auch nicht Hodge...

Dodge hatte Mrs. Manresa plötzlich allein gelassen. Im ganzen Garten hatte er Mrs. Swithin gesucht. Nun hatte er sie gefunden; und sie hatte seinen Namen vergessen.

»Ich heiße William«, sagte er. Daraufhin belebte sie sich wie ein weißgekleidetes Mädchen in einem Garten, zwischen Rosen, das ihm entgegenlief, – auch eine ungespielte Rolle.

»Ich wollte ein Keks holen gehn – nein, den Schauspielern danken«, sagte sie stammelnd, jungfräulich, errötend. Dann fiel ihr ihr Bruder ein. »Mein Bruder«, setzte sie hinzu, »sagt, man soll der Verfasserin, Miss La Trobe, nicht danken.«

Es war immer ›mein Bruder... mein Bruder‹, der aus der Tiefe des Wasserrosenteichs aufstieg.

Was die Schauspieler betraf, so hatte Hammond sich den Backenbart abgenommen und knöpfte sich soeben den Rock zu. Sobald die Uhrkette zwischen den Knöpfen befestigt war, machte er sich davon.

Nur Miss La Trobe war zurückgeblieben, über etwas im Gras gebeugt.

»Das Stück ist aus«, sagte William. »Die Schauspieler sind weggegangen.«

»Und wir sollen, meint mein Bruder, der Verfasserin nicht danken«, wiederholte Mrs. Swithin und blickte dorthin, wo Miss La Trobe stand.

»Also bedanke ich mich bei Ihnen«, sagte er. Er ergriff ihre Hand und drückte sie. Aller Wahrscheinlichkeit nach würden sie einander nie wieder begegnen.

Die Kirchenglocken verstummten immer so, daß man sich fragte: Wird nicht noch ein Ton erklingen? Isa, die schon über den halben Rasen war, lauschte... Bim, bam, bim... Kein Ton mehr würde erklingen. Die Gemeinde war schon in der Kirche versammelt, kniete. Der Gottesdienst begann. Das Spiel war vorbei. Schwalben flogen im Streifflug über das Gras, wo die Bühne gewesen war.

Dort ging Dodge, der Lippenleser, der ihr ähnliche, ihr Mitverschworener, gleich ihr selbst ein Sucher nach verborgenen Gesichtern. Er beeilte sich, Mrs. Manresa einzuholen, die mit Giles voraus war – »dem Vater meiner Kinder«, murmelte Isa. Fleischlichkeit überströmte sie, heiß, nervendurchzogen, bald entflammt, bald dunkel wie der materielle Leib. Um die rostrote Schwäre des vergifteten Pfeils zu heilen, suchte sie nach dem Gesicht, das sie den ganzen Tag lang gesucht hatte. Zwischen Rücken hindurch, über Schultern hinweg spähend und lugend hatte sie den Mann in Grau gesucht. Er hatte ihr eine Tasse Tee gebracht bei einer Tennispartie; ihr einmal einen Tennisschläger gereicht. Das war alles. ›Und doch‹, rief es in ihr, ›wären wir einander begegnet, bevor der Lachs, ein Barren von Silber, sprang... Wären wir einander da begegnet...‹ Und als ihr kleiner Bub sich vorhin in der Scheune zwischen allen den Leibern hindurchkämpfte, hatte sie »Wär' er doch *sein* Sohn!« gemurmelt... Im Vorbeigehn riß sie das bittere Blatt ab, das, wie es sich traf, außen vor dem Fenster des Kinderzimmers wuchs. Clematis – Altmännerbart. Das Blatt statt Worten zerknitternd, denn da wuchsen keine Worte und auch keine Rosen, schritt sie schnell an ihrem Mitverschworenen, dem ihr ähnlichen, dem Sucher nach entschwundenen Gesichtern vorbei, ›gleich Venus‹, dachte der, eine Übersetzung versuchend, ›ihrer Beute ver...‹ und folgte ihr.

Als er um die Ecke bog, stand da Giles, der Manresa verhaftet. Sie hielt die Tür ihres Autos geöffnet; Giles hatte den Fuß auf der Kante des Trittbretts. Gewahrten sie die Pfeile, die sie treffen würden?

»Hopsen Sie 'rein, Bill!« schäkerte Mrs. Manresa.

Und die Räder knirschten über den Kies und das Auto fuhr davon.

Endlich konnte sich Miss La Trobe aus ihrer gebückten Haltung aufrichten. Sie hatte damit gezögert, um keine Aufmerksamkeit auf sich zu ziehen. Die Glocken läuteten nicht mehr; die Zuschauer waren gegangen; und auch die Schauspieler. Sie konnte ihren Rücken strecken. Sie konnte die Arme ausbreiten. Sie konnte zur Welt sagen: Du hast meine Gabe angenommen! Ein Triumphgefühl bemächtigte sich ihrer – einen Augenblick lang. Doch was hatte sie gegeben? Eine Wolke, die mit andern Wolken am Horizont verschmolz. Im Geben lag der Triumph. Und der Triumph verblaßte. Ihr Geschenk war bedeutungslos. Wenn sie den Sinn verstanden hätten; wenn sie ihre Rollen gekonnt hätten; wenn die Perlen echt gewesen wären und sie unbegrenzte Mittel zur Verfügung gehabt hätte – wäre es ein besseres Geschenk gewesen. Nun war es dahin, gesellte sich den früheren.

»Ein Mißerfolg«, stöhnte sie und bückte sich, um die Grammophonplatten zu verstauen.

Dann begannen plötzlich die Stare in den Baum, hinter dem sie sich verborgen hatte, einzufallen. In einem einzigen Schwarm hagelten sie auf ihn ein wie ebensoviele geflügelte Steine. Der ganze Baum summte von dem Geschwirr, als zupfte jeder Vogel an einem gespannten Draht. Ein Schwirren, ein Surren stieg aus dem von Vögeln wimmelnden, von Vögeln vibrierenden, von Vögeln geschwärzten Baum auf. Der Baum wurde zu einer Rhapsodie, einer schwirrenden Kakophonie, einer vibrierenden Verzückung, einer maßlos, endlos den Baum verschlingenden, und Zweige, Blätter, Vögel silbelten unharmonisch: Leben, Leben, Leben! Dann auf und hinweg!

Was hatte sie aufgestört? Die alte Mrs. Chalmers, die mit einem Blumenstrauß – anscheinend Nelken – über das Gras schlich, um die Vase frisch zu füllen, die auf dem Grab ihres Mannes stand. Im Winter waren es Stechpalmenzweige oder Efeu, im Sommer Blumen. Sie war es, die die Vögel verscheucht hatte. Nun kam sie vorüber.

Miss La Trobe ließ das Schloß einschnappen und hievte sich den schweren Koffer mit den Grammophonplatten auf die Schulter. Sie querte die Terrasse und blieb neben dem Baum stehn, auf dem sich die Stare versammelt hatten. Hier war es gewesen, wo sie Erhebung, Erniedrigung, Verzükkung, Verzweiflung erlitten hatte – für nichts. Ihre Absätze hatten ein Loch ins Gras gescharrt.

Es dunkelte. Weil keine Wolken da waren, den Himmel zu stören, war das Blau blauer, das Grün grüner. Es war keine Aussicht mehr da – keine ›Narretei‹, kein Turm des Münsters von Bolney. Es war bloß Gegend da, irgendeine. Miss La Trobe stellte den Plattenkoffer auf die Erde und schaute. Dann kam etwas an die Oberfläche.

»Ich müßte sie gruppieren«, murmelte sie. »Hier.« Es wäre Mitternacht. Zwei Gestalten, halb verborgen von einem Felsen. Der Vorhang ginge auf. Was würden die ersten Worte sein? Die Worte entzogen sich ihr.

Wieder lud sie sich den schweren Koffer auf die Schulter. Mit langen Schritten ging sie über den Rasen. Das Haus schlummerte; ein Rauchfaden verdichtete sich vor den Bäumen. Es war seltsam, daß die Erde, mit allen diesen erglühenden Blumen – den Lilien, den Rosen und Büscheln weißer Blüten und Sträuchern von leuchtendem Grün – immer noch fest war. Grünes Gewässer schien vor ihr aufzuwallen. Sie begann ihre Fahrt vom Ufer weg und tastete mit ausgestreckter Hand nach der Klinke des eisernen Gartentors.

Sie würde den Koffer durchs Küchenfenster abstellen und weitergehn, ins Wirtshaus. Seit dem Krach mit der Schauspielerin, mit der sie sich in Bett und Geldbörse geteilt hatte, war ihr Bedürfnis zu trinken immer stärker geworden. Und das Grauen und Entsetzen vor dem Alleinsein. Eines Tags würde sie eins der Dorfgesetze brechen – welches? Nüchternheit? Keuschheit? Oder indem sie etwas nähme, das eigentlich nicht ihr gehörte?

An der Ecke begegnete sie der alten Mrs. Chalmers, die von dem Grab zurückkam. Die Alte sah auf die welken Blumen in ihrer Hand hinab und schnitt Miss La Trobe. Die Frauen, die in den Häuschen mit den roten Geranien wohnten, taten das immer. Sie war eine Ausgestoßene. Die Natur hatte sie irgendwie abseits von ihresgleichen gestellt. Und doch hatte sie an den weißen Rand ihres Manuskripts gekritzelt: ›Ich bin die Sklavin meines Publikums.‹

Sie zwängte den Koffer durch das Fenster ihrer Spülküche und ging weiter, bis sie die rote Gardine des Schankraums erblickte. Dort wäre Geborgenheit; Stimmen; Vergessenheit. Sie drehte den Knauf der Wirtshaustür. Der beißende Geruch schal gewordenen Biers empfing sie; und Stimmengewirr, das verstummte. Sie hatten über den ›Feldweibel‹ geredet, wie sie sie nannten, – das machte nichts. Sie setzte sich auf ihren Platz und sah durch den Qualm auf eine plump auf Glas gemalte Kuh in einem Stall; und auch auf einen Hahn und eine Henne. Sie hob den Whisky an die Lippen und trank. Und lauschte. Worte, derbkräftige, sanken hinab in den Schlamm. Sie döste; sie nickte. Der Schlamm wurde fruchtbar. Worte stiegen auf über die unerträglich beladenen sturen Ochsen, die durch den Schlamm stapften. Sinnlose Worte – wunderbare Worte.

Die billige Uhr tickte; Pfeifenrauch verdunkelte die Bilder. Rauch belegte ihr ätzend den Gaumen. Rauch verdunkelte die lehmfarbenen Joppen. Sie sah sie nicht mehr, und doch hielten sie sie aufrecht, die mit in die Hüften gestemmten Armen dasaß, ihr Glas vor sich. Hier war die erhöhte Rasenfläche um Mitternacht; da der Felsen; und zwei kaum wahrnehmbare Gestalten. Plötzlich wurde der Baum von

Staren behagelt. Sie stellte das Glas hin. Sie hörte die ersten Worte.

Dort in der Mulde unterhalb der Bäume, in Pointz Hall, war der Tisch im Eßzimmer abgeräumt worden. Candish hatte mit der geschweiften Bürste die Krümel weggefegt; hatte die Blütenblätter geschont und die Familie endlich dem Nachtisch und sich selbst überlassen. Das Spiel war aus, die Fremden waren weggegangen, und sie war allein – die Familie.

Noch schwebte das Festspiel am Firmament des Geistes – sich verschiebend, verblassend, aber immer noch da. Eine Himbeere in Zucker tauchend, betrachtete Mrs. Swithin es. Sie fragte, die Himbeere in den Mund steckend: »Was war der Sinn?« und setzte hinzu: »Die Bauern; die Könige; der Narr und« (sie schluckte) »wir selbst?«

Sie alle betrachteten es: Isa, Giles und Mr. Oliver. Jedes von ihnen sah natürlich etwas andres. Im nächsten Augenblick würde es unter dem Horizont verschwunden sein, hätte sich den andern gesellt. Mr. Oliver, seine Birmazigarre vor sich haltend, sagte: »Zu anspruchsvoll.« Und die Zigarre anzündend, setzte er hinzu: »In Anbetracht der Mittel, die ihr zur Verfügung standen.«

Es begann hinwegzudriften, mit den andern Wolken zu verschmelzen, wurde unsichtbar. Durch den Rauch sah Isa nicht das Festspiel, sondern die Zuschauer sich zerstreuen. Einige, wie sie im Auto, andre, wie sie auf dem Fahrrad fuhren. Ein Gittertor schwang auf. Eins der Autos rollte über die Anfahrt zu der roten Villa in den Kornfeldern. Tief herabhängende Akazienzweige streiften das Dach; mit Akazienblüten bestreut, langte das Auto an.

»Die Spiegel und die Stimme aus dem Gebüsch«, murmelte Isa, »was meinte sie mit denen?«

»Als Mr. Streatfield sie bat, es zu erklären, wollte sie nicht«, sagte Mrs. Swithin.

Nun bot Giles, in der vierfach geschlitzten Schale einen weißen Kegel entblößend, seiner Frau eine Banane an. Sie lehnte ab. Er drückte sein Zündholz auf dem Teller aus, wo es mit einem leisen Zischlaut im Saft der Himbeeren erlosch.

»Wir sollten dankbar sein«, sagte Mrs. Swithin, ihre Serviette faltend, »für das Wetter, das wunderschön war bis auf den einen Regenschauer.«

Sie stand auf, und Isa folgte ihr durch die Halle in das große Zimmer.

Die Vorhänge wurden nie zugezogen, bevor es nicht zu dunkel zum Lesen, und die Fenster nie geschlossen, bevor es nicht zu kühl geworden war. Warum den Tag ausschließen, bevor er zu Ende war? Die Blumen leuchteten noch; die Vögel zwitscherten noch. Man konnte oft abends besser sehen, wenn einen nichts unterbrach, wenn es keinen Fisch zu bestellen gab, das Telephon nicht klingelte. Mrs. Swithin blieb vor dem großen Bild von Venedig stehn – Schule des Canaletto. War da nicht im Innern der Gondel eine kleine Gestalt – eine Frau, eine verschleierte; oder ein Mann?

Isa, die ihre Näharbeit vom Tisch aufgriff, sank, das eine Knie abgebogen, auf den Lehnstuhl neben dem Fenster. Aus dem Gehäuse des Zimmers überblickte sie den Sommerabend. Lucy kehrte von ihrer Reise in das Bild zurück und stand schweigend da. Die Sonne ließ beide Gläser ihrer Brille rot aufleuchten. Silber glitzerte auf ihrem schwarzen Schal. Einen Augenblick lang glich sie einer tragischen Gestalt aus einem andern Stück.

Dann sprach sie mit ihrer gewohnten Stimme. »Wir nahmen dieses Jahr mehr ein als voriges, hat er gesagt. Aber voriges Jahr regnete es.«

»Dieses Jahr, voriges Jahr, nächstes Jahr, nie...« murmelte Isa. Ihre Hand glühte rot in der Sonne auf dem Fensterbrett. Mrs. Swithin nahm ihre Strickarbeit vom Tisch.

»Hast du es empfunden«, fragte sie, »was er behauptete: ›Wir spielen verschiedene Rollen, bleiben aber dieselben‹?«

»Ja«, erwiderte Isa. »Nein«, setzte sie hinzu. Es war ja, nein. Ja, ja, ja, strömte die Flut allumarmend hervor. Nein, nein, nein, zog sie sich wieder zurück. Der alte Stiefel tauchte auf dem Kieselstrand auf.

»Abfall, Schabsel und Schnipsel«, zitierte sie, was ihr von dem entschwindenden Stück im Gedächtnis geblieben war.

Lucy hatte schon die Lippen zu einer Antwort geöffnet und die Hand liebkosend auf ihr Kreuzchen gelegt, als die Herren hereinkamen. Sie stieß ihren kleinen Tschilplaut der Begrüßung aus. Sie zog die Füße ein, um Platz zu machen. Tatsächlich aber war mehr Platz, als gebraucht wurde, auf den großen, vermummten Lehnstühlen.

Sie setzten sich, beide geadelt von der untergehenden Sonne. Beide hatten sich zum Abendessen umgekleidet. Giles trug nun den schwarzen Rock und die weiße Halsbinde der freien Berufe, wozu – Isa blickte auf seine Füße hinunter – Lackschuhe gehörten. ›Unser Repräsentant, unser Sprecher‹, spöttelte sie. Doch er sah außerordentlich gut aus. ›Der Vater meiner Kinder, den ich liebe und hasse.‹ Liebe und Haß – wie sie zerrissen wurde von beiden! Gewiß war es an der Zeit, daß jemand eine neue Handlung erfände oder daß der Verfasser aus dem Gebüsch hervorkäme...

Da kam Candish herein. Er brachte die Abendpost auf einem silbernen Tablett. Briefe; Rechnungen; und die Morgenzeitung – die Zeitung, die den Vortag tilgte. Wie ein Fisch, der zu einem Kekskrümel an die Oberfläche kommt, schnappte Bartholomew nach der Zeitung. Giles schlitzte die Klappe eines Umschlags, der offenbar Geschäftspapiere enthielt. Lucy las das Geschreibsel einer alten Freundin in Scarborough. Isa hatte nur Rechnungen bekommen.

Die gewohnten Geräusche widerhallten durch das Gehäuse: Mrs. Sands schürte das Feuer; Candish heizte den Boiler auf. Isa hatte ihre Rechnungen durchgesehen. Im Gehäuse des Zimmers sitzend sah sie zu, wie das Festspiel verblich. Die Blumen erglühten noch einmal, bevor sie erloschen. Sie sah zu, wie sie aufleuchteten.

Die Zeitung knisterte. Die andre Hand wendete ein Blatt nach dem andern um. M. Daladier hatte den Franc abgewertet. Die junge Person war mit den Gardereitern sich amüsieren gewesen. Sie hatte geschrien. Sie hatte ihn geschlagen... Was weiter?

Als Isa wieder auf die Blumen blickte, waren sie erloschen.

Bartholomew knipste die Leselampe an. Der Kreis der Lesenden, der weißes Papier Umwendenden, wurde erhellt. Da, in dieser Mulde des sonnengedörrten Felds, waren sie versammelt, der Heuschreck, die Ameise und der Käfer, und sie rollten Klümpchen sonnengedörrter Erde durch die gleißenden Stoppeln. In diesem rosigen Winkel des sonnengedörrten Felds saßen Bartholomew, Giles und Lucy und entkernten und nagten und knabberten. Isa beobachtete sie.

Dann wurde die Zeitung sinken gelassen.

»Fertig?« fragte Giles und nahm sie seinem Vater aus der Hand.

Der alte Mann gab seine Zeitung preis. Er döste wohlig. Die Hand, mit der er den Hund streichelte, schob Hautfalten dem Halsband zu.

Die Uhr tickte. Das Haus gab leise Knackse von sich, als wäre es sehr spröde, sehr trocken. Isas Hand auf dem Fensterbrett empfand plötzlich Kälte. Schatten hatte den Garten ausgelöscht. Die Rosen hatten sich für die Nacht zurückgezogen.

Mrs. Swithin, die ihren Brief zusammenfaltete, flüsterte Isa zu: »Ich hab' zu den Kindern hineingeschaut – fest eingeschlafen unter den Papierrosen.«

»Die von der Krönung übrigblieben«, murmelte Bartholomew, schon halb im Schlaf.

»Aber wir hätten uns nicht diese ganze Mühe mit den Dekorationen zu machen brauchen«, setzte Lucy hinzu, »denn dieses Jahr hat es nicht geregnet.«

»Dieses Jahr, voriges Jahr, nächstes Jahr, nie«, murmelte Isa.

»Schneider, Schuster, Scherenschleifer«, echote Bartholomew. Er sprach aus dem Schlaf.

Lucy steckte den Brief in den Umschlag zurück. Es war nun Zeit, ihren *Umriß der Weltgeschichte* zu lesen. Aber sie wußte nicht mehr, wo sie stehngeblieben war. Sie wendete die Seiten um und sah die Bilder an – Mammute, Mastodone, prähistorische Vögel. Dann fand sie die Seite, wo sie zu lesen aufgehört hatte.

Es wurde immer dunkler. Ein Windhauch strich durchs Zimmer. Mit einem leichten Frösteln zog Mrs. Swithin ihren

Flitterschal enger um die Schultern. Sie war zu sehr in die Geschichte vertieft, um zu verlangen, daß das Fenster geschlossen werde. ›England‹, las sie, ›war damals ein Sumpf. Dichte Wälder bedeckten das Land. Auf ihren wirr verschlungenen Ästen sangen Vögel…‹

Das große Viereck des offenen Fensters zeigte jetzt nur Himmel. Jedes Licht war aus dem entwichen, er war streng, steinern, kalt. Schatten fielen. Schatten krochen über Bartholomews hohe Stirn; über seine große Nase. Er sah entlaubt aus, geisterhaft, sein Lehnstuhl monumental. Wie ein Hund mit der Haut zuckt, so zuckte seine Haut. Er stand auf, schüttelte sich, starrte ins Leere und stapfte aus dem Zimmer. Sie hörten die Pfoten des Hundes auf dem Teppich hinter ihm dreintappen.

Lucy wandte die Seite, schnell, schuldbewußt, wie ein Kind, dem vor Ende des Kapitels befohlen werden wird, zu Bett zu gehn.

›Der prähistorische Mensch‹, las sie, ›halb Mensch, halb Affe, begann sich aus seiner gebeugten Haltung aufzurichten und griff große Steine auf.‹

Sie steckte den Brief aus Scarborough zwischen die Seiten, um das Ende des Kapitels zu bezeichnen, stand auf, lächelte und ging auf den Zehenspitzen still aus dem Zimmer.

Die beiden Alten waren hinauf und zu Bett gegangen. Giles knitterte die Zeitung zusammen und schaltete das Licht aus. Miteinander allein gelassen, zum erstenmal heute, blieben sie stumm. Im Alleinsein war Feindseligkeit bloßgelegt; und auch Liebe. Vor dem Einschlafen müßten sie miteinander kämpfen. Nachher würden sie einander umarmen. Aus dieser Umarmung mochte vielleicht ein neues Leben geboren werden. Aber erst müßten sie miteinander kämpfen, wie im tiefsten Dunkel auf den Gefilden der Nacht der Fuchs mit der Füchsin kämpft.

Sie ließ ihre Näharbeit sinken. Die großen, vermummten Stühle waren riesenhaft geworden. Und auch Giles. Und auch Isa da vor dem Fenster. Das Fenster war ganz Himmel und farblos. Das Haus hatte sein Obdach verloren. Es war Nacht; bevor Straßen gebahnt oder Häuser gebaut worden waren. Es war die Nacht, in die Höhlenbewohner von einer felsigen Anhöhe geschaut hatten.

Dann ging der Vorhang auf. Sie sprachen.